Délices de la mer & du Canada

✍TABLE DES MATIÈRES✍

PRÉFACE 9

1
DES POISSONS ET DES FRUITS DE MER 11

ESPÈCES DE L'ATLANTIQUE 14
Poissons 14
Mollusques et crustacés 27

ESPÈCES DU PACIFIQUE 31
Poissons 31
Mollusques et crustacés 41

ESPÈCES COMMUNES
DE POISSONS D'EAU DOUCE 45

2
GUIDE DU CONSOMMATEUR 51

DIVERSITÉ 52
Poisson frais — Entier 52
Poisson plat 54
Poisson frais — Poisson congelé 54
Poisson fumé, séché et salé 55
Poisson en conserve 55
Rogue de poisson 55
Fruits de mer: mollusques et crustacés 56
Algue rouge 57

POINTS À SURVEILLER À L'ACHAT DU POISSON 58

Poisson frais 58

Mollusques et crustacés frais 58

Poisson et fruits de mer congelés 59

APPRÊT DU POISSON, DES MOLLUSQUES
ET DES CRUSTACÉS 60

Pour écailler le poisson 69

Pour nettoyer un poisson entier 69

Pour désosser un poisson entier
dans le but de le farcir 69

Pour fileter un poisson 70

Pour dépiauter un filet 70

Pour cuire et déveiner les crevettes 70

Pour préparer et ouvrir les huîtres 70

Pour préparer le homard 71

Pour préparer le crabe 71

Pour préparer myes, palourdes et moules 72

Pour préparer les pétoncles 72

Pour préparer le calmar 73

Pour préparer l'ormeau 73

CONSERVATION DU POISSON
ET DES FRUITS DE MER À DOMICILE 74

Entreposage au réfrigérateur
et au congélateur 74

Congélation du poisson et
des fruits de mer à domicile 77

Mise en conserve du poisson à domicile 78

Directives générales 78

Mise en conserve du saumon ou de la truite 80

Mise en conserve du thon 82

Fumage du poisson à domicile 83

Fumage à chaud ou fumage avec cuisson 84

Méthode 1 (poisson préparé) 86

Méthode 2 (filets) 87

Fumage à froid 88

Méthode 1 (cuisson nécessaire) 92

Méthode 2 (sans cuisson) 93

Hareng saumuré à domicile 95

Méthode 1 (consommation immédiate) 95

Méthode 2 (conserve) 96

Caviar maison 98

NUTRITION 99
Valeur nutritive 99
Tableau des valeurs nutritives 101

3

MÉTHODES SIMPLES ET COURANTES
DE CUIRE LE POISSON 107

RÈGLES FONDAMENTALES 108
MODES DE CUISSON 109
Cuisson au four 109
Cuisson sur gril 109
Cuisson à la poêle 110
Cuisson en pleine friture 110
Pochage ou cuisson à la vapeur 110
Cuisine à la braise 111

4

RECETTES 113

HORS-D'OEUVRE ET AMUSE-GUEULE 114
SOUPES ET BOUILLABAISSES 132
SALADES 147
ENTRÉES LÉGÈRES 166
ENTRÉES POUVANT SERVIR DE PLAT PRINCIPAL 199
GARNITURES 246
MARINADES 254
COURTS-BOUILLONS 257
PANURES ET PÂTES À FRIRE 259
FARCES 263
SAUCES 268
VINAIGRETTES 275

GLOSSAIRE 279

INDEX DES RECETTES 282

À Shirley Popham

PRÉFACE

Comme j'aime bien le poisson et les fruits de mer, j'ai toujours voulu préparer un livre par lequel je pourrais transmettre mes connaissances et donner à tous la possibilité d'aimer aussi le poisson. J'espère que le présent ouvrage saura remplir cette fonction. J'ai tenté de dépouiller de ses mystères la préparation du poisson pour y substituer connaissances, compréhension et joie de faire. Le poisson, comme les mollusques et les crustacés, est facile à apprêter et délicieux; il se prête à des préparations tellement diverses que cela dépasse parfois l'imagination. Je souhaite de tout coeur que bon nombre des recettes et des idées que contient cet ouvrage constitueront un point de départ qui ouvrira toutes grandes les portes de votre imagination.

Remerciements

Je tiens à remercier de nombreuses personnes, surtout dans les diverses sections du ministère des Pêches et des Océans, par exemple, sans ordre particulier de mention, le personnel des directions des communications à Vancouver et à Ottawa, le personnel du Centre alimentaire des pêches à Ottawa et les conseillers en consommation des diverses régions du Canada, notamment Terre-Neuve, la Nouvelle-Écosse, le Nouveau-Brunswick et l'Île-du-Prince-Édouard. S'il semble que l'Ouest m'ait négligée, il n'en est rien: j'ai été conseillère en consommation pour l'Ouest du Canada pendant de nombreuses années! Je tiens à remercier tout particulièrement le personnel de l'Institut des eaux douces, à Winnipeg, pour son aide précieuse à la section des espèces d'eau douce et pour l'information à jour qu'il m'a donnée pour la section sur la mise en conserve et le fumage du poisson. Je remercie également le personnel de la Station de recherche de Nanaïmo et de la Station de recherche de St. John's (Terre-Neuve) pour leur aide précieuse en ce qui a trait aux espèces de leur région. Pour leur tolérance face à mes consultations répétées, je tiens à exprimer ma reconnaissance au personnel de la bibliothèque du MPO à Vancouver; en effet, la bibliothèque a été pour moi une source de référence constante et des plus utiles.

Je m'en voudrais de ne pas souligner la contribution remarquable à cette version française de Michèle Deslauriers qui a fait la traduction, de Lucien Parizeau qui a fait la révision, de Danielle Plouffe qui a préparé le manuscrit, et de tous ceux qui ont participé à la réalisation de cette production.

Je dois des remerciements particuliers à tous les membres du Laboratoire d'inspection, au 325 de la rue Howe, pour leur stoïcité, leur compréhension et, malgré tout, leur constante bonne humeur; ils n'ont jamais laissé échapper une plainte lorsque j'apparaissais pour leur faire goûter la recette numéro 202 préparée par la Cuisine expérimentale. De l'aiguillat à l'ormeau et au calmar, ils m'ont donné une opinion honnête, objective, qui a souvent changé l'orientation de cet ouvrage. Une conséquence indirecte de la dégustation des recettes m'amène à remercier celui dont je ne connais pas encore le nom, mais dont le bureau se trouve sous la Cuisine expérimentale et qui a su garder son sens de l'humour quand, pour la cinquième fois en une semaine, son bureau a été inondé par l'éclatement des conduites de la cuisine. En outre, beaucoup de personnes, particulièrement dans l'industrie de la pêche, m'ont apporté leur aide directement et indirectement. À ceux qui m'ont aidée à acquérir l'expérience et les connaissances nécessaires à la réalisation de cet ouvrage, trop nombreux pour que je les nomme tous, mes très sincères remerciements. Enfin, les derniers mais non les moindres, un merci bien chaleureux à mes parents, pour leur compréhension et leur appui, leur patience et leurs encouragements. Je leur dois beaucoup.

Pour son soutien et son encouragement à l'égard de ce projet, sa conviction du bien-fondé d'un tel ouvrage et sa détermination inébranlable qui nous a ouvert les portes du financement, rendant ainsi possible la réalisation de cette tâche, je dédie *Délices de la mer et du Canada* à Shirley Popham, ex-directrice des Services d'information de la Région du Pacifique au ministère des Pêches et des Océans, une bonne amie qui nous a quittés prématurément sans avoir la chance de voir le résultat définitif de ses efforts.

Remerciements pour la photographie

Le photographe Dick Lotz a réalisé avec enthousiasme toutes les photographies d'aliments dans les studios de Graphic Industries Ltd. à Vancouver en y mettant toute la créativité dont il est capable et en y consacrant de longues heures fort exigeantes.

C'est Jan Howarth qui a préparé et mis en place les aliments pour les photographies.

1

DES POISSONS ET DES FRUITS DE MER

ESPÈCES DE L'ATLANTIQUE

ESPÈCES DU PACIFIQUE

ESPÈCES COMMUNES DE
POISSONS D'EAU DOUCE

DES POISSONS ET
ᘐDES FRUITS DE MERᘐ

La connaissance des poissons et des crustacés de la personne ordinaire se limite aux espèces plus connues comme la sole, la morue, le saumon, le flétan, le crabe et les crevettes. En partie parce que les gens ont tendance à se limiter aux poissons qui leur sont familiers et hésitent à en essayer des nouveaux. Cette situation a souvent comme résultat de rendre ces espèces si populaires moins disponibles et plus chères à cause des lois de l'offre et de la demande.

Le glossaire ici présenté, suivi des descriptions des espèces, est un premier pas pour la connaissance des espèces moins connues, qui sont toutes délectables, faciles à préparer et souvent des sources de protéines peu coûteuses. Chaque description d'espèce est suivie d'une note sur des espèces similaires qui sont souvent interchangeables dans la recette.

C'est à vous de poser le prochain geste, de vous lancer et essayer des espèces qui ne vous sont pas familières. Vous aurez sûrement d'agréables surprises.

Bien que certaines espèces soient plus faciles à trouver que d'autres, tous les poissons décrits dans cet ouvrage se vendent sur le marché, et les consommateurs peuvent se les procurer. Beaucoup d'autres espèces, trop nombreuses pour les mentionner ici, sont populaires auprès des pêcheurs sportifs.

Poisson de fond (F): Poisson qui vit, se nourrit et est capturé près du fond.

Poisson pélagique (P): L'habitat naturel des poissons du groupe des pélagiques se trouve à proximité de la surface, en haute mer.

Poisson anadrome (A): Poisson qui passe une bonne partie de sa vie en haute mer, mais qui retourne frayer dans les rivières.

Poisson catadrome (CAT): Poisson qui vit dans les rivières et autres cours d'eau, mais qui va frayer en mer.

Crustacés (CRUST): Invertébrés qui vivent habituellement dans l'eau et respirent par les branchies. Ils ont une carapace extérieure dure et un corps formé de segments munis d'appendices (crabe, homard, crevette, etc.).

Mollusques (M): Grand groupe d'invertébrés au corps mou, non segmenté, le plus souvent enfermé, totalement ou en partie, dans une coquille calcaire à une ou plusieurs parties, et ayant des branchies, un pied et un manteau (huître, mye, moule, escargot, calmar, pieuvre, bigorneau, etc.).

ESPÈCES
☙DE L'ATLANTIQUE☙
POISSONS

GASPAREAU *(CAT)*

Le nom français de ce poisson, gaspareau, remonte aux premiers colons français qui le pêchaient dans la rivière Gaspareau et son estuaire. Il est aussi vulgairement appelé gaspareau. Sa partie supérieure est vert grisâtre, tandis que les flancs et le ventre sont argentés. À l'âge adulte, il mesure environ de 25 à 30 cm (10 à 12 po) et pèse près de 250 g (0,5 lb). Il est capturé surtout en mai et juin.

Recettes: Le gaspareau peut être utilisé dans toutes les recettes de maquereau ou de hareng.

ANGUILLE D'AMÉRIQUE *(CAT)*

Son aire de distribution s'étendant du Groenland vers le sud le long d'une grande partie de la côte canadienne, l'anguille d'Amérique est aussi connue sous le nom d'anguille commune. La coloration du dos va du noir au brun terne, ses flancs sont teintés de jaune et son ventre est blanc jaunâtre. De forme allongée, sa taille maximale est de 123 cm (49 po) et son poids varie de 1,5 à 4 kg (3 à 9 lb). Elle passe la plus grande partie de sa vie en eau douce et retourne à la mer pour se reproduire. Elle est capturée au moyen de casiers dans les rivières et les estuaires d'août à novembre.

Recettes: Voir la table pour les techniques de préparation.

ALOSE SAVOUREUSE *(A)*

Proche parent de la famille du hareng, cette espèce anadrome se distingue du hareng de l'Atlantique par l'absence de dents, une hauteur plus considérable et le nombre de taches foncées sur les flancs (toujours plus de quatre). L'alose savoureuse est plus grosse que le hareng et peut atteindre un poids maximal de 5 kg (11 lb) et une longueur de 75 cm (30 po). Pour le reste, elle lui ressemble avec son dos bleu foncé, le bas de ses flancs et son ventre blanc argenté. Elle est pêchée en mai et juin dans les rivières et les estuaires.

L'alose est un mets délicat qu'on retrouve souvent sur les menus de restaurant. Elle fait aussi un excellent caviar (voir table). Les oeufs sont petits, d'une couleur jaune-orange semblable à ceux du hareng.

Recettes: L'alose peut être utilisée dans toutes les recettes de hareng ou de maquereau.

ÉPERLAN ARC-EN-CIEL *(A)*

Lorsqu'il atteint l'âge adulte, à deux ou trois ans, l'éperlan mesure de 12,5 à 20 cm (5 à 8 po) de long. Espèce anadrome, il fréquente les eaux côtières et les cours d'eau le long du littoral canadien et nord-américain et est surtout capturé au filet dans les eaux côtières. Sur le plan commercial, cette pêche prend une importance de plus en plus grande. L'éperlan arc-en-ciel est un petit poisson, semblable à la truite, qui appartient à la famille des capelans. Le dessus de son corps transparent va du vert olive au vert bouteille, tandis que ses flancs sont plus pâles et son ventre est argenté, avec de minuscules points noirs. Il est pêché surtout pendant la remonte du printemps et pendant l'hiver, sous la glace.

Après qu'il a été nettoyé, il est souvent cuit et servi entier, car les os sont comestibles. La chair est sucrée.

Recettes: Toutes les recettes d'éperlan ou de capelan.

MORUE *(F)*

La morue de l'Atlantique, souvent appelée «le boeuf de la mer», a été pendant des siècles la clé de voûte des pêches de l'Atlantique nord-ouest. Son corps est allongé et le poids moyen des prises commerciales varie, selon l'engin utilisé et le lieu de la capture, de 1 à 3 kg (2 à 6 lb). Elle mesure entre 61 et 122 cm (24 à 48 po). Sa coloration naturelle va du gris au vert ou du brun au rouge selon le fond; la coloration peut changer pour s'harmoniser avec le milieu, mais il s'agit d'un processus assez lent. Le dos et les flancs sont parsemés de nombreuses taches brun rouge, et elle porte une ligne latérale pâle. On la reconnaît aussi à son barbillon sur le menton. La morue se déplace en bancs, des eaux profondes aux eaux peu profondes en cycles saisonniers et on la pêche pendant toute l'année, mais les principales saisons de pêche varient selon les secteurs, l'état des glaces et les conditions météorologiques. Elle continue d'avoir la faveur des consommateurs dans de nombreux pays et elle est mise en marché sous des formes plus diversifiées que tout autre produit alimentaire.

Quand elle est bien apprêtée, sa chair humide se détache en grands flocons blancs, et son goût est agréablement délicat.

Recettes: Interchangeables avec la plupart des recettes de poisson plat, particulièrement le flétan, et presque tous les poissons ronds, y compris le brosme, le loup, le merlu, l'aiglefin, la goberge.

FLÉTAN *(F)*

Poisson remarquable dont le poids se situe entre 2 et 350 kg (4 à 770 lb), le poids le plus élevé jamais rapporté. Le flétan est classé selon son poids, dont la moyenne se situe aux environs de 25 kg (55 lb). Les jeunes sont appelés petits flétans et les gros adultes, des flétans monstres. Le flétan fréquente rarement les eaux de moins de 60 m (200 pi) de profondeur, son aire de distribution s'étendant du Labrador au golfe du Maine. Il est l'un des poissons de fond commerciaux qui obtient le prix le plus élevé, et ses prises sont précieuses. La pêche du flétan se pratique à l'année longue dans l'Atlantique, mais les prises se font surtout d'avril à juin. Il est le plus grand des poissons plats. Il a une grande bouche et sa coloration est variable, le côté supérieur, oculaire, allant du brun verdâtre au brun très foncé, tandis que le côté aveugle, inférieur, est blanc, gris ou tacheté de gris. Sa chair, cuite, est ferme et blanche et a un goût délicat et distinctif.

Recettes: Interchangeables avec celles de tout autre poisson maigre à chair ferme, comme le saumon, la truite, le brosme, le loup, le flétan du Groenland, le merlu, l'aiglefin et la goberge.

MAQUEREAU *(P)*

Poisson pélagique, le maquereau fréquente de vastes étendues de la haute mer et se déplace surtout en bancs à proximité de la surface. Il est depuis longtemps une importante source alimentaire dans bien des pays européens et devient de mieux en mieux connu et accepté au Canada, à mesure que l'on se tourne vers les sources alimentaires plus économiques. Poisson attrayant avec sa face supérieure bleu acier, son corps marqué de 20 à 23 bandes foncées, ondulées, il peut atteindre, à l'âge adulte, le poids moyen de 0,5 à 1 kg (1 à 2 lb), bien qu'on ait rapporté des captures de 2 kg (4 lb) et de 55 cm (22 po). Débarqué surtout de mai à novembre, il est mis en vente à l'état frais et congelé, entier ou en filets. Il est aussi fumé et mis en conserve.

Recettes: Le maquereau peut être employé dans la plupart des recettes qui demandent du thon en conserve. On peut aussi le substituer aux poissons suivants dans la plupart des recettes: hareng, gaspareau, alose, stromatée à fossettes, cisco, etc.

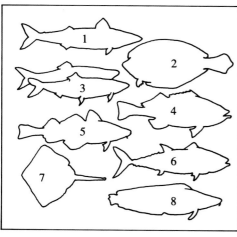

POISSONS DE L'ATLANTIQUE

1. Maquereau
2. Cardeau d'été
3. Hareng
4. Sébaste
5. Morue
6. Thon rouge
7. Raie
8. Brosme

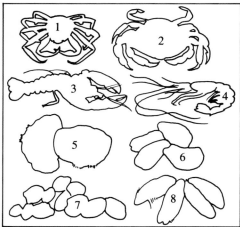

MOLLUSQUES ET CRUSTACÉS

(Atlantique et Pacifique)

1. Crabe des neiges (Atlantique)
2. Crabe dormeur (Pacifique)
3. Homard (Atlantique)
4. Crevette rose (Atlantique)
5. Ormeau (Pacifique)
6. Huîtres (Atlantique)
7. Clams: palourdes et palourdes japonaises (Pacifique)
8. Moules communes (Atlantique et Pacifique)

SAUMON DE L'ATLANTIQUE *(A)*

Voilà un poisson très recherché des deux côtés de l'Atlantique et dont un grand pourcentage de prises revient au Canada. Bien que le saumon de l'Atlantique soit généralement considéré comme ayant plus d'affinités avec la famille des truites qu'avec les salmonidés du Pacifique, il est aussi largement reconnu comme un régal gastronomique. Son poids moyen, à l'âge adulte, est de 4,5 kg (10 lb) et sa longueur approximative, de 75 cm (30 po), même si certains spécimens capturés pesaient plus de 15 kg (33 lb). Il vit rarement plus de neuf ans. Le saumon de l'Atlantique est pêché en été et au début de l'automne, ainsi que lorsqu'il revient vers sa rivière d'origine, entre mai et août. Sa couleur varie avec l'âge et légèrement pendant la période du frai, mais il a généralement les flancs et le ventre argentés, tandis que le dos passe par diverses teintes de brun, de vert et de bleu; de nombreuses taches noires, d'ordinaire en forme de croix, sont parsemées sur le corps. À l'époque du frai, les sujets des deux sexes revêtent une coloration générale violet bronzé et peuvent aussi porter des taches rougeâtres sur la tête et le corps. Comme la truite, le saumon de l'Atlantique survit au frai et peut retourner frayer plus d'une fois.

Recettes: Souvent interchangeables avec celles de la truite, de l'omble chevalier, du corégone, etc.

CAPUCETTE *(P)*

Souvent appelée (à tort) capelan, la capucette ressemble étroitement à ses proches parents, l'éperlan et le capelan, car elle a le même corps au dessus vert transparent avec le ventre blanc et une bande argentée. Elle atteint 13,5 cm (5,5 po) de long et est congelée entière immédiatement après la capture, car sa chair est très périssable. Elle est mise en marché uniquement à l'état congelé, entière.

Recettes: La capucette peut être substituée à l'éperlan ou au capelan.

CAPELAN *(P)*

Ressemblant de près à l'éperlan, le capelan est habituellement légèrement plus gros et peut atteindre 22,5 cm (9 po) de long. Son corps transparent va du vert olive au vert bouteille sur sa partie supérieure, tandis que les flancs sont argentés et le ventre blanc. Il fréquente la haute mer toute l'année, arrivant en masses pour frayer sur les plages de gros sable ou de gravier fin le long de la côte canadienne de l'Atlantique, en juin et en juillet. Comme l'éperlan, il est délicieux frit à la poêle ou préparé en grande friture. On se donne rarement la peine d'enlever l'arête principale qui lui donne un petit côté croustillant tout en facilitant la préparation.

Recettes: Le capelan peut remplacer l'éperlan ou la capucette dans toutes les recettes.

BROSME *(F)*

Proche parent de la famille de la morue, le brosme était pratiquement inconnu sur le marché commercial jusqu'à récemment, mais il se gagne maintenant une réputation de plus en plus enviable en Amérique du Nord. La coloration varie beaucoup selon le milieu, allant du rougeâtre foncé au brun verdâtre et au jaune pâle. Il se distingue, par sa nageoire dorsale unique, des merluches, auxquelles il ressemble étroitement. Bien que la longueur moyenne des prises commerciales soit d'environ 60 cm (24 po), on a déjà capturé des prises pesant 13,5 kg (30 lb) et mesurant jusqu'à 100 cm (40 po) de long. Pêché principalement dans les eaux profondes de l'Atlantique nord pendant toute l'année, il est particulièrement abondant en juin et en juillet. Après la cuisson, il ressemble beaucoup à la morue.

Recettes: Le brosme peut être employé pour toute recette de filets.

AIGUILLAT COMMUN *(F)*

L'aiguillat est un petit requin qui abonde dans toutes les mers, et les membres de cette espèce se regroupent fréquemment en très grands bancs. Il se nourrit principalement de tous les petits poissons; on le trouve donc souvent en grandes concentrations près des bancs de harengs, d'éperlans, etc. On l'appelle aussi aiguillat. Son corps allongé, semblable à celui du requin, peut atteindre un maximum de 123 cm (48 po); sa coloration sur le dessus est habituellement gris ardoise et passe au gris pâle sur le dessous. On ne le pêche à des fins alimentaires à l'échelle commerciale que depuis quelques années, car il était auparavant surtout transformé en farine et en huile de poisson. D'ailleurs, jusqu'à récemment, les pêcheurs le rejetaient à l'eau à cause de sa ressemblance avec le requin. La plupart des prises commerciales sont exportées en Europe, où les filets sont utilisés de façon intensive pour la préparation des repas de poisson et de frites. À mesure que les autres espèces deviennent rares et chères, on se tourne vers l'aiguillat comme espèce de remplacement à bon marché.

Sa teneur en gras est élevée, et il devient donc rance assez rapidement si l'on ne prend aucune précaution. Sa chair, à l'encontre de celle des autres poissons, contient un peu d'urée, sous-produit du métabolisme protéinique. Ainsi, elle dégage de l'ammoniac quand le poisson est âgé ou soumis à la cuisson, ce qui peut être déplaisant. Mais on peut contourner le problème en faisant mariner (tremper) les filets dans une faible solution de jus de citron ou de vinaigre pendant la nuit ou pendant plusieurs heures (plus de 4) avant de commencer la recette (voir table). En outre, sa peau est très coriace et donc très difficile à enlever avec les machines à dépiauter commerciales, mais la chair peut être délicieuse si elle est bien apprêtée et cuite d'une façon appropriée.

PLIE/SOLE *(F)*

Beaucoup d'espèces de poissons plats de l'Atlantique nord sont communément appelées «sole», mais elles appartiennent plus précisément à la famille des plies ou flets. Après la morue, les cinq espèces de poisson de fond les plus exploitées dans les pêcheries canadiennes de l'Atlantique appartiennent à ce groupe de poissons plats: plie du Canada, limande à queue jaune, plie grise, plie rouge et cardeau d'été. La principale saison de pêche de ces espèces s'étend de février à octobre.

La *plie du Canada* est l'espèce la plus commune et la plus importante des cinq sur le plan commercial. Aussi appelée sole ou plie, elle pèse en moyenne entre 0,9 à 1,4 kg (2 à 3 lb) et mesure de 38 à 40 cm (15 à 16 po) de long. Elle a une grande bouche et sa coloration, côté supérieur, va du rougeâtre au brun grisâtre, et du blanc au blanc bleuâtre, côté inférieur.

La *limande à queue jaune* est aussi appelée queue jaune ou sériole. Ses traits distinctifs sont sa petite bouche, son corps brun olivâtre sur le côté oculaire avec des taches rouilleuses et une queue jaune. Ce poisson plat peut atteindre 40 cm (16 po) de long et pèse en moyenne 0,6 kg (1 lb).

La *plie grise*, ainsi appelée à cause de la coloration brun grisâtre de la partie supérieure de son corps, a une petite bouche et, en moyenne, mesure 45 cm (18 po) de long et pèse 0,7 kg (1,5 lb). On l'appelle aussi parfois flet.

La *plie rouge* est aussi appelée carrelet. Le côté supérieur de son corps va du brun rougeâtre au presque noir, et sa taille et son poids moyens, à maturité, sont de 30 cm (12 po) et de 0,5 kg (1 lb).

Le *cardeau d'été* est la plus grande des plies, mais il ne constitue qu'une faible partie des prises au Canada. Sa longueur maximale est de 123 cm (49 po), tandis que son poids moyen est de 7 kg (15 lb). Son corps est oblong et comprimé et sa coloration varie entre le brun et le gris brun sur le côté supérieur, allant parfois jusqu'au presque noir.

Les filets de cette famille, qu'on les appelle filets de plie, de sole ou de flet, ont une chair maigre, blanche et délicate, et sont délicieux.

Recettes: La plie peut être utilisée dans toutes les recettes de filets. Ces filets étant minces, il faut éviter de trop les cuire.

AIGLEFIN* (F)

Membre de la famille des moridés, l'aiglefin est un poisson exploité commercialement et son poids moyen varie entre 0,9 et 1,8 kg (2 à 4,5 lb) et sa longueur, entre 38 et 63 cm (15 à 25 po). Sa chair est un peu plus douce que celle de la morue, mais c'est un poisson délicieux et très en demande des deux côtés de l'Atlantique. Il peut être exploité toute l'année, mais les périodes de pointe varient selon les engins et les secteurs. La tête et le dos sont gris violacé foncé, avec une ligne latérale noire, le ventre étant gris argenté avec des reflets rosâtres. Ces couleurs sont très distinctes, comme le sont la première nageoire dorsale pointue et la tache noire entre la ligne latérale et la partie médiane de la nageoire pectorale. Plus abondant à l'état frais dans l'Est du Canada, il est mis en marché à l'état congelé dans toutes les provinces. Bien connu dans le monde entier à l'état de gade fumé, l'aiglefin est aussi utilisé pour les plats cuisinés et les conserves de miettes de gades.

Recettes: L'aiglefin a une chair blanche et maigre dont la texture est plus douce que celle de la morue, mais il donne d'excellents résultats dans toutes les recettes de filets.

* L'aiglefin s'écrit aussi églefin.

HARENG (P)

Ce poisson savoureux, très nutritif et se préparant de multiples façons, se trouve dans les océans Atlantique et Pacifique. L'espèce de l'Atlantique est légèrement plus grande et ses filets sont plus épais que sa parente du Pacifique. À l'âge adulte, le hareng atteint la longueur maximale de 43 cm (17 po) et son poids peut varier entre 250 et 750 g (0,5 à 1,5 lb). Les harengs, où qu'ils se trouvent dans le monde, ont à peu près la même apparence (dos bleu verdâtre et ventre argenté) et se déplacent habituellement en grands bancs. Parfois appelés harengs de Digby ou de Mattie selon la région, les jeunes sont aussi appelés silds. Bien qu'on puisse le pêcher toute l'année dans l'Atlantique, les principales saisons de pêche sont au printemps et à l'automne. Le hareng est connu et consommé dans l'Est du Canada, comme en Europe, depuis plus longtemps que dans l'Ouest, probablement à cause de l'influence européenne accrue dans l'Est. Le hareng de l'Atlantique est mis en marché au Canada sous diverses formes: frais et congelé (entier et filets), fumé (kippers), apprêté et en conserve et sous forme de sardines (petits harengs). (Voir aussi hareng — Pacifique).

Recettes: Le hareng et le maquereau sont souvent interchangeables.

GOBERGE *(F)*

La goberge de l'Atlantique fait aussi partie de la famille des moridés. Elle n'a aucun lien de parenté avec la «goberge du Pacifique», dont le nom véritable est morue du Pacifique occidental; sa chair est plus ferme que celle-ci et sa couleur et sa saveur sont plus agréables. Sa chair est aussi légèrement plus foncée que celle de la morue. On l'appelle également merlan noir, merlan et colin. Ses traits distinctifs sont sa mâchoire inférieure débordante, son museau pointu, son corps fusiforme et sa queue fourchue plutôt que carrée. Son dos est vert brunâtre foncé, ses flancs sont gris argenté, son ventre est blanc et elle porte des bandes latérales blanches ou grises. À l'âge adulte, elle mesure de 50 à 90 cm (20 à 36 po) de long et pèse de 1 à 7 kg (2 à 15 lb). On la capture à longueur d'année, la saison de pêche principale étant en juillet et août.

Recettes: Elle peut être substituée, dans les recettes de filets, à la morue, au merlu, à l'aiglefin ou à toute espèce à chair ferme.

SÉBASTE *(F)*

Ce poisson rouge de la famille des sébastes a une large distribution dans le monde entier et est étroitement apparenté aux scorpènes du Pacifique. Il vit dans les eaux profondes et froides le long de la bordure du plateau continental, de l'île de Baffin au golfe du Maine. La saison de pointe est en avril, mais on le pêche de juin à octobre. Il est aussi connu sous les noms de poisson rouge et de chèvre. Relativement petit, il varie, en longueur, entre 20 et 40 cm (8 à 16 po) et pèse de 0,5 à 1 kg (1 à 2 lb). Sa coloration va de l'orangé au rouge flamme et il a de grands yeux noirs et la tête armée d'un certain nombre d'épines acérées.

Recettes: La chair du sébaste est assez ferme et a un goût distinctif savoureux. On peut l'utiliser dans les recettes de filets. Il est aussi délicieux cuit au four ou poché, entier.

MERLUCHE ÉCUREUIL *(F)*

Membre peu connu de la famille des moridés, cette espèce sous-utilisée gagne en faveur. Elle diffère de son cousin mieux connu, le merlu argenté, par ses nageoires pelviennes grêles et le nombre restreint de ses dents. On l'appelle aussi merluche ou lingue. À la capture, son poids varie entre 1 et 5 kg (2 à 11 lb) et sa taille moyenne, entre 50 et 88 cm (20 à 35 po) de long. Le plus grand exemplaire rapporté pesait 23 kg (50 lb). Elle est exploitée à longueur d'année, mais la saison de pointe est de mars à mai.

Recettes: Chair blanche ferme et savoureuse. La merluche écureuil peut être employée dans toutes les recettes de filets.

MERLU ARGENTÉ *(F)*

Membre de la famille des moridés. Il doit être mis au froid tout de suite après la capture, car sa chair ferme et savoureuse s'amollit rapidement. Pour cette raison, il ne peut être acheté qu'à l'état congelé (entier, en filets ou en blocs). On s'en sert aussi dans les produits commerciaux préparés, congelés. À l'âge adulte, il mesure entre 23 et 35 cm (9 à 14 po) et pèse en moyenne 0,7 kg (1,5 lb), mais certaines prises ont déjà atteint 2,5 kg (5,5 lb). Sa mâchoire inférieure est proéminente et son corps est plus long et plus effilé que les autres membres de la famille de la morue. Il est encore peu connu au Canada et est exploité commercialement aux États-Unis sur une échelle limitée.

Recettes: S'emploie dans presque toutes les recettes de filets, mais il ne faut pas oublier que sa chair est molle une fois décongelée et qu'elle se brise donc plus facilement.

RAIE *(F)*

La raie de l'Atlantique est abondante sur les deux côtes du Canada. Deux espèces prédominent sur le marché commercial: la raie lisse, la plus petite des deux, qui atteint au maximum 62 cm (24 po), est capturée à partir de Terre-Neuve en allant vers le sud; la raie épineuse, de loin la plus abondante, peut atteindre deux fois la taille de la raie lisse et se trouve principalement sur les bancs de Terre-Neuve et au large de toutes les provinces de l'Atlantique et du Labrador. La raie, qui ressemble à une grande plie en forme de losange avec de larges ailes, se distingue facilement par sa queue fine semblable à celle du rat. On la pêche toute l'année, mais la saison de pêche principale s'étend de mai à juillet. Pratiquement inconnue et peu consommée jusqu'à très récemment à cause de sa forme inhabituelle, elle a un goût fin et distinct, semblable à celui du pétoncle. On peut faire cuire les ailes (voir la section des recettes) et, en grattant la chair avec le couteau et la fourchette, obtenir de longues bandes d'un délicieux poisson. C'est un poisson idéal pour les enfants et les personnes âgées, car il n'y a pas d'os et il est facile à digérer.

ESPADON *(P)*

Espèce de haute mer, l'espadon se déplace sur de grandes distances et on le trouve fréquemment des deux côtés de l'Atlantique nord et de l'Atlantique sud. Sa mâchoire supérieure se prolonge en une longue épée aplatie. Il est facile à reconnaître par sa peau nue. Le dessus de son corps est violâtre métallique foncé, tandis que le dessous est noirâtre. Les débarquements ont lieu principalement en été et au début de l'automne, et il est mis en marché sous forme de darnes, fraîches ou congelées. Une faible proportion est mise en conserve.

Recettes: Généralement, l'espadon peut être substitué aux poissons à chair ferme et maigre dans les recettes utilisant par exemple des darnes de saumon, de truite, de flétan, etc.

FAMILLE DES THONIDÉS *(P)*

Le *thon rouge* est le seul thon facilement accessible à des fins commerciales au large de la côte est du Canada. Il est le plus gros des thonidés, dépassant parfois 454 kg (1 000 lb). La partie supérieure de son corps est bleu foncé, le dessous arborant des teintes de gris à gris argenté avec des taches. Le thon rouge est l'une des espèces de thon qui doit être marquée «chair pâle» lorsqu'il est mis en conserve. Les autres espèces qui portent cette mention sont l'albacore à nageoires jaunes et la thonine à ventre rayé, qui sont un peu moins abondantes dans l'océan Atlantique et qui ne sont pas transformées au Canada.

Germon: capturé en quantité limitée dans le sud de l'Atlantique, il est le seul thon à mériter la mention «chair blanche» sur les boîtes de conserve. La plus grande exploitation de germon est pratiquée par le Japon dans l'océan Pacifique.

La *bonite à dos rayé* est exploitée en quantité limitée pour la mise en conserve aux États-Unis, mais n'est pas transformée au Canada. L'étiquette de la boîte doit porter la mention «bonite».

Bien que tous les thons appartiennent à la même famille, la chair diffère énormément d'une espèce à l'autre. Il est bon de connaître les différences suivantes:

Germon: Marqué «chair blanche» sur la boîte, il peut se prévaloir de la chair blanche très recherchée et d'un goût délicat. Il est utilisé le plus souvent dans les salades et les sandwichs.

Thon rouge, Albacore à nageoires jaunes, Thonine à ventre rayé: Marquées «chair pâle», ces espèces ont une chair un peu plus foncée et un goût un peu plus prononcé. Ayant à peu près la même valeur nutritive que le germon, elles constituent un parfait substitut dans les pains, les gratins et les mélanges à crêpes et à omelettes qui n'exigent pas la perfection du germon.

Bonite: Sa chair est presque brun foncé et son goût beaucoup plus marqué. Les boîtes de conserve doivent porter la mention «bonite». Son prix est aussi beaucoup moins élevé que celui des autres thons et il peut être utilisé avantageusement dans les gratins et les plats au cari déjà relativement relevés.

Le thon du Canada est mis en marché à l'état frais, congelé ou en conserve et la pêche a lieu principalement d'août à novembre.

Recettes: Le thon en conserve remplace souvent le saumon en conserve dans les recettes.

FLÉTAN DU GROENLAND *(F)*

Cette espèce ressemble plus à son parent, le flétan de l'Atlantique, qu'au turbot européen. Bien qu'on le désigne aussi sous les noms de turbot ou turbot du Groenland, son nom commercial en Amérique du nord est le flétan du Groenland. C'est un poisson de quelque distinction qui gagne en faveur à mesure que les Canadiens apprennent à le connaître. Il pèse entre 4,5 et 11,5 kg (10 à 25 lb) en moyenne, bien qu'on en ait rapporté un exemplaire de 100 cm (40 po) de long et de 50 kg (110 lb). Sa coloration générale est brun grisâtre avec une pigmentation foncée, la face nadirale du corps étant gris pâle. La principale saison des débarquements s'étend de mai à octobre.

Recettes: Le flétan du Groenland peut être utilisé dans toutes les recettes de filets de poisson à chair ferme. Sa teneur en gras est plus élevée que celle de la morue ou du flétan, et on le trouve souvent en produits fumés et apprêtés.

LOUP *(F)*

Aussi connu sous le nom de poisson-loup, ce poisson produit des filets d'une excellente qualité. De profil arrondi, le loup a la peau grise et une tête à nombreuses dents. La coloration varie du bleu ardoise au vert olive terne ou au brun violâtre, et les deux tiers antérieurs du corps sont généralement rayés par 10 bandes transversales foncées ou plus. Le loup se reconnaît d'emblée à son corps robuste ressemblant à celui de la blennie. Son poids peut varier entre 1,5 et 10 kg (3 à 22 lb) et on le pêche toute l'année, mais surtout de mai à août.

Recettes: Les filets de loup peuvent être utilisés dans toute recette de filets.

MOLLUSQUES ET CRUSTACÉS

MOULE COMMUNE *(M)*

Mieux connue pendant des milliers d'années au Royaume-Uni et en Europe, la moule commune est très abondante dans toute la région canadienne de l'Atlantique et est devenue très en demande sur la côte est. On la trouve fixée aux galets, aux algues et aux rochers, le long de la laisse de basse mer, tandis que les grosses moules sont cueillies dans des eaux plus profondes. Aujourd'hui la production des moules peut être accrue grâce à l'aquiculture. Sa coquille dure est parfois bleu noirâtre, parfois brune ou brune avec des rayons noirs. La chair est orange vif après la cuisson. La moule peut être récoltée toute l'année dans la plupart des régions.

Recettes: Les moules peuvent être utilisées dans la plupart des recettes de myes, d'huîtres et de pétoncles.

MYE *(M)*

La mye est surtout récoltée dans la région de l'Atlantique. Sa taille atteint au maximum 12,5 cm (5 po) et on la trouve sur les plages sablonneuses et boueuses, du Labrador à la Caroline du Nord. On la récolte habituellement le long du littoral à marée basse. Il y a aussi diverses autres espèces qui sont moins abondantes et moins importantes sur le plan commercial, par exemple la praire. (Voir aussi les clams du Pacifique, p. 41).

Recettes: On peut aussi substituer la mye aux huîtres, aux moules et aux pétoncles.

HOMARD *(CRUST)*

Souvent appelée homard américain, cette espèce vit dans la plupart des eaux côtières, du détroit de Belle-Isle à la côte de la Caroline du Nord, l'approvisionnement mondial provenant en grande partie des provinces Maritimes et de Terre-Neuve. Grâce au perfectionnement des techniques et à l'efficacité du transport aérien, le homard est un mets de luxe qui est maintenant en demande dans le monde entier. Le poids des homards mis en marché varie de 0,5 à 1,5 kg (1 à 3 lb), mais il peut dépasser 5 kg (11 lb). Les gros homards sont surtout mis en conserve. Avant la cuisson, la couleur du homard est très variable, allant du vert olive foncé au brun rouge avec des teintes de bleu. Tous les homards deviennent rouge vif pendant la cuisson. Ils sont capturés surtout de mars à juillet, mais on en pêche en quantité limitée pendant presque tout le reste de l'année.

Recettes: Habituellement, le homard peut être substitué aux crevettes et au crabe.

HUÎTRES *(M)*

L'huître nord-américaine est souvent désignée d'après le nom de la région où elle est récoltée, par exemple huître de Blue Point, de Malpèque, de Cape Cod, de Chinoteague, d'Apalachicola et de l'île Kent. Quel que soit son nom, cependant, elle est connue et considérée comme un mets de luxe partout dans le monde. En général, elle est plus petite que l'huître du Pacifique ou huître japonaise, bien que sa forme, sa croissance et les caractéristiques de sa chair varient d'une région à l'autre selon son habitat et son alimentation. La coquille peut être plate ou arrondie et la couleur de la chair va du gris perle au beige, et du gris à une teinte verdâtre*. La plupart des huîtres vendues commercialement sont élevées dans des conditions semi-naturelles, dans des exploitations ostréicoles côtières à partir de naissain recueilli en milieu naturel. (Voir aussi l'huître du Pacifique.)

Recettes: Les huîtres peuvent être substituées aux myes, aux moules et aux pétoncles.

* La teinte verdâtre est tout à fait saine, étant causée simplement par les algues dont s'est nourrie l'huître.

CREVETTE ROSE *(CRUST)*

Souvent appelée grande crevette rose ou crevette rose du Canada, cette espèce prend une importance commerciale de plus en plus grande. Elle est habituellement pêchée en eau profonde du

Groenland au Maine. Sa taille varie entre 3 et 8 cm (1 à 3 po) et, pendant la cuisson, sa couleur passe du vert gris au rose ou rouge vif. On la pêche principalement au printemps, en été et à l'automne. (Voir aussi la crevette du Pacifique.)

Recettes: Les crevettes peuvent remplacer, dans les recettes, le crabe, le homard, le pétoncle, etc.

* En anglais, les mots «shrimp» et «prawn» sont utilisés sans distinction, mais dans l'usage commercial, «shrimp» désigne les petites crevettes et «prawn» les grosses.

CRABE COMMUN *(CRUST)*

Les prises du crabe commun dans les provinces de l'Atlantique sont relativement restreintes. Il n'est pas aussi bien connu que le crabe dormeur ou le crabe royal de la côte du Pacifique. On le trouve surtout dans les zones côtières, du Labrador à la Caroline du Sud. Le crabe commun a une surface lisse, facilement identifiable par ses taches violettes ou cramoisies. Le poids moyen du crabe utilisé à des fins commerciales est de 250 g (0,5 lb) et il mesure environ 10 cm (4 po) de largeur. On le pêche de mai à août et la plupart des prises sont destinées à la mise en conserve.

Recettes: Le crabe peut remplacer le homard, la crevette ou le pétoncle.

PÉTONCLE *(M)*

Le dragage commercial du pétoncle se pratique dans les zones hauturières et semi-hauturières, au large des provinces de la côte atlantique. Ils sont décoquillés immédiatement après la prise et, en général, seul le muscle adducteur est gardé à des fins de consommation alimentaire. Le pétoncle géant est la plus importante des deux espèces exploitées commercialement dans l'Atlantique canadien. La taille de la coquille peut varier entre 13 et 20,5 cm (5 à 8 po) et la chair est classée selon sa grosseur. La pêche se pratique toute l'année, mais la saison principale s'étend de mars à novembre.

Recettes: Le pétoncle peut être substitué au homard, au crabe, à la crevette, etc.

CRABE DES NEIGES *(CRUST)*

La pêche du crabe des neiges dans l'Atlantique canadien a commencé au cours des années soixante et a rapidement pris de l'expansion. Le crabe des neiges est brun pâle et son corps est presque circulaire. Ses pattes sont très longues et aplaties. Quand il atteint sa taille maximale, soit environ 15 cm (6 po) de diamètre, il pèse jusqu'à près de 1,25 kg (3 lb). On le capture de juin à novembre.

Recettes: Le crabe peut être substitué au homard, à la crevette ou au pétoncle.

CALMAR *(M)*

Ce mollusque de forme étrange vit au large des côtes de Terre-Neuve et des autres provinces de l'Atlantique. Avec ses huit bras, ses deux tentacules et son corps tubulaire, il est souvent laissé pour compte, mais il s'agit d'une espèce savoureuse qui peut être apprêtée de diverses façons. Il atteint son poids maximal à environ 700 g (1,5 lb) et peut atteindre une taille de 30 à 46 cm (12 à 18 po) de long. Bien que la coloration puisse varier légèrement, il est habituellement parsemé de taches brun rougeâtre sur fond blanc. On le pêche surtout d'août à octobre.

Recettes: Voir page 68 pour les techniques de préparation. Il peut remplacer l'ormeau ou la pieuvre dans les recettes.

ESPÈCES
ஓDU PACIFIQUEஓ
POISSONS

AIGUILLAT *(F)*

Voir l'aiguillat de l'Atlantique (p. 20 et 21).

EULACHON ET ÉPERLAN *(P)*

Les membres de la famille de l'éperlan sont tous relativement petits, les plus gros atteignant 30 cm (12 po) de long. Ils se déplacent généralement en bancs et ressemblent étroitement à leurs homologues de l'Atlantique. La plupart des espèces ont une haute teneur en huile et sont délicieux cuits à la poêle ou en pleine friture, comme hors-d'oeuvre ou plat principal. Vendus à l'état frais ou congelé, ils sont aussi utilisés pour l'alimentation animale (élevages d'animaux à fourrure). Les Indiens utilisent l'eulachon depuis des siècles pour en extraire leur huile de cuisson. Avant l'invention des chandelles et autres dispositifs d'éclairage, on séchait ces petits poissons, auxquels on fixait ensuite une mèche pour s'en servir comme chandelles, d'où leur nom de poissons-chandelles.

Recettes: Peuvent être utilisées dans toutes les recettes d'éperlan ou de capelan.

PLIE/SOLE *(F)*

Comme dans l'Atlantique, il y a de nombreuses espèces de poissons plats (plus de 15), à l'exclusion du flétan, dans les eaux qui baignent la Colombie-Britannique. On les appelle sole, mais ils appartiennent à la famille des plies ou flets. Quatre seulement de ces espèces ont une certaine importance pour la pêche commerciale de cette province: la barbue ou plie de Californie, la limande-sole, la sole du Pacifique et le flétan du Pacifique. On tente actuellement de développer l'exploitation de la sole de Douvres.

La *barbue ou plie de Californie* est la plus précieuse des quatre espèces et la plus en demande. À l'âge adulte, vers 6 à 7 ans, elle atteint près de 40 cm (16 po) de long.

La *limande-sole* a un goût citronné délicat qui la distingue de la limande-sole européenne. Sa tête est étroite et pointue, sa coloration est brun clair sur le côté oculaire et blanche ou crème sur le ventre. La limande-sole de taille commerciale, vers 5 à 7 ans, mesure en moyenne 35 cm (14 po) s'il s'agit d'un mâle et 39 cm (16 po) s'il s'agit d'une femelle.

La *sole du Pacifique* a une peau écailleuse rugueuse. La coloration de son dos varie dans les tons de brun et de gris, son ventre étant blanc ou jaunâtre. Son espérance de vie et sa taille sont semblables à celles de la limande-sole.

Le *flétan du Pacifique* est un membre de la famille des plies. Il se distingue des autres poissons plats par ses grandes dents et, jusqu'à il y a quelques années, était à peu près inutilisé sauf pour l'alimentation des visons, mais la hausse des prix et la rareté de certaines espèces en demande ont forcé les consommateurs à trouver des substituts. C'est un poisson délicieux et à prix très abordable, qui devient de plus en plus recherché comme succédané de la morue, de la sole, etc. On le trouve sur le marché du détail à l'état frais ou congelé. Il peut atteindre 90 cm (36 po) de longueur. Ses filets sont juteux et ont de gros flocons, un peu comme la morue. Il ne faut pas le confondre avec le célèbre flétan du Groenland. (Voir flétan du Groenland dans la section des espèces de l'Atlantique.)

Recettes: Qu'on les appelle plies ou soles sur le marché, les filets des poissons de cette famille sont des plats délicieux, qu'il s'agisse de soupes, de salades, de hors-d'oeuvre ou de plats principaux. On peut utiliser la plie dans la plupart des recettes de filets. Presque tous les filets de ces espèces sont minces; il faut donc éviter de trop les faire cuire.

MORUE DU PACIFIQUE *(F)*

C'est la véritable morue du Pacifique et elle ressemble étroitement à la morue de l'Atlantique nord. Elle atteint l'âge adulte vers 2 ou 3 ans, sa taille moyenne étant de 40 cm (16 po) et son poids, de 3 à 4 kg (6 à 9 lb), bien que certaines morues dépassent un mètre (40 po). Sa coloration va du brun au gris sur le dos, les flancs étant plus pâles et le ventre blanc. Elle est l'une des espèces commerciales les plus importantes du Pacifique. Elle est pêchée à longueur d'année, les débarquements les plus nombreux ayant lieu en hiver. Après la cuisson, la chair blanche succulente se détache en gros flocons. Elle est aussi délicieuse cuite au four, grillée, frite à la poêle ou pochée.

Recettes: Il y a de nombreuses recettes de morue; en outre, elle peut être substituée à tout autre poisson en filets.

OPHIODON *(F)*

L'ophiodon est l'un des plus gros poissons exploités commercialement dans les eaux de la Colombie-Britannique. Certains de ces poissons atteignent un poids de 25 à 30 kg (55 à 66 lb), mais le poids moyen se situe aux environs de 5 à 6 kg (11 à 13 lb). Il est aussi communément appelé morue lingue, morue longue ou europhycis. Il a un corps allongé, une grande bouche et des dents proéminentes. Sa coloration va du gris foncé moucheté au brun, et on le capture toute l'année. La chair fraîche a parfois une teinte légèrement verdâtre mais, après la cuisson, elle est blanche et son goût est fin et délicat. L'huile de son foie, très riche en vitamines A et D, est vendue commercialement.

Recettes: L'ophiodon peut être utilisé dans toutes les recettes de filets.

MERLUCHE DU PACIFIQUE *(F)*

La merluche du Pacifique est étroitement liée à la morue du Pacifique et à la morue du Pacifique occidental. Elle est aussi apparentée à de nombreuses autres espèces de merlus qui vivent sur les plateaux continentaux de l'Europe, de l'Afrique, de l'Amérique du Nord, de l'Amérique du Sud et de la Nouvelle-Zélande. On trouve, dans les eaux de la Colombie-Britannique, deux stocks distincts de merluche du Pacifique. La merluche du détroit de Géorgie est en général plus petite que celle qui est capturée en haute mer (principalement au large de la côte ouest de l'île Vancouver). Bien qu'elle puisse vivre jusqu'à 21 ans, l'âge moyen de la merluche du détroit de Géorgie est d'environ 6 ans et sa longueur, d'environ 44 cm (18 po), tandis que celui de la merluche de haute mer est de 9 ans et sa taille, de 54 cm (22 po). Sa chair est moins ferme que la plupart de ses parents de la famille de la morue et elle doit être réfrigérée immédiatement pour éviter toute détérioration. Si elle est convenablement traitée, elle a un goût fin et une texture délicate qui en font une espèce de plus en plus recherchée comme substitut bon marché des autres espèces en demande.

Recettes: Peut être utilisé dans toutes les recettes de plie ou de poisson émietté.

FLÉTAN *(F)*

Semblable et étroitement lié à l'espèce de l'Atlantique, le flétan était l'un des poissons les plus importants du Pacifique sur le plan commercial, mais la surexploitation et une mauvaise gestion des ressources dans le passé ont amené une réduction radicale des prises admissibles, dans le but de protéger l'espèce. Il y a quinze à vingt ans, il n'était pas rare de capturer des flétans de 100 à 200 kg (220 à 440 lb), mais aujourd'hui, les prises atteignent rarement plus de 20 kg (44 lb) et la Commission internationale du flétan du Pacifique veille à l'application de règlements sévères quant à la taille et à la quantité des prises. La chair du flétan, après cuisson, a tendance à être sèche, mais ce poisson peut être un régal de gourmet s'il est manipulé avec soin et cuit de la bonne façon. Bien qu'il soit vendu à l'état frais aux restaurants et marchands de détail, on le trouve fréquemment dans les magasins sous forme de darnes congelées.

Recettes: Peut être utilisé dans toutes les recettes de poisson à chair ferme. Il peut aussi être substitué au saumon dans bien des recettes.

HARENG *(P)*

Ce proche parent du hareng de l'Atlantique vit et se nourrit sur les bancs et en bordure du plateau continental du Pacifique nord, se rapprochant des côtes uniquement pendant la période du frai. Il appartient à la famille des clupéidés, qui comprend les pilchards, les sardines et l'alose. Ces poissons se déplacent habituellement en larges bancs. Outre leur grande importance commerciale sous des formes diverses, ils sont d'une valeur incalculable comme source alimentaire de nombreuses espèces de prédateurs, telles que les saumons cohos et quinnats, la morue et l'ophiodon. La pêche commerciale du hareng s'est grandement accrue en importance au cours des quinze dernières années. À l'heure actuelle, c'est la vente d'oeufs de hareng au Japon qui a la plus grande valeur monétaire pour le Canada. Vient ensuite la vente, au pays et à l'étranger, du hareng destiné à la consommation. Les autres produits sont la farine et l'huile de poisson ainsi que les prises destinées à servir d'appâts. Poisson s'apprêtant de multiples façons, il est en demande et, sans une gestion stricte des limites et des contingents, il est menacé de surexploitation. Les Canadiens de l'Ouest ont grandement négligé le hareng frais et congelé, car c'est une espèce peu connue. Harengs, pilchards et sardines sont très bon marché, délicieux et extrêmement faciles à préparer. (Voir aussi le hareng de l'Atlantique.)

Recettes: Le hareng et le maquereau sont généralement interchangeables.

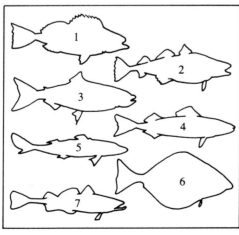

POISSONS DU PACIFIQUE

1. Sébaste à longue mâchoire
2. Morue du Pacifique
3. Saumon quinnat
4. Morue charbonnière
5. Aiguillat
6. Flétan du Pacifique
7. Merluche du Pacifique

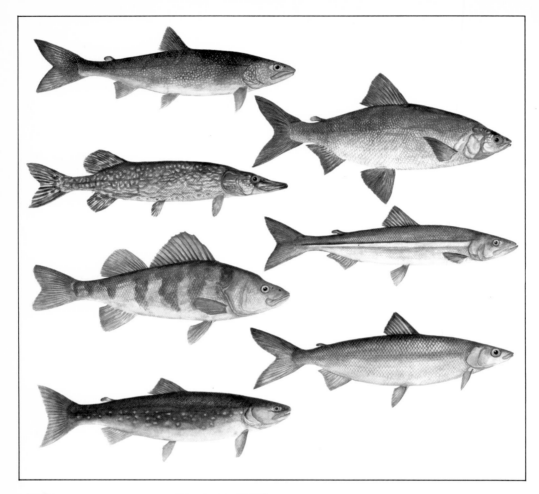

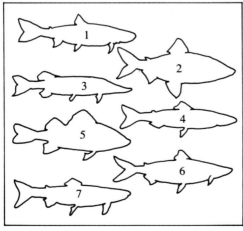

POISSONS D'EAU DOUCE

1. Touladi
2. Corégone
3. Grand brochet
4. Éperlan arc-en-ciel
5. Perchaude
6. Cisco (hareng de lac)
7. Omble chevalier

Scorpène/Sébaste du Pacifique/ Vivaneau *(F)*

Les scorpènes comprennent de nombreuses espèces qui sont prédominantes dans les mers septentrionales tempérées. On en connaît bien au-delà de cinquante espèces vivant le long du littoral est de l'océan Pacifique, et au moins vingt-quatre de celles-ci se trouvent au large des côtes de la Colombie-Britannique. La plupart sont facilement identifiables grâce à leur coloration vive, leur grande bouche et leur nageoire dorsale épineuse. La coloration va des rouges aux orangés et des bruns aux verts. On trouve aussi du noir avec une bande jaune, du blanc avec des bandes verticales rouges, du rose avec des bandes horizontales vertes et du brun jaunâtre. Seuls le vivaneau, le sébaste canari, le sébaste à longue mâchoire et certaines espèces de la haute mer sont rouges ou orange vif. Fréquemment appelés à tort morues de roche, ils n'ont aucun lien étroit avec la vraie morue. Un grand nombre se sont gagné la faveur du consommateur et sont connus et mis en marché sous leur véritable nom, comme le vivaneau, le sébaste*, etc. Ces scorpènes peuvent être pêchés toute l'année. Toutes les espèces de scorpènes ont une chair moyennement ferme, blanche, agréable au goût et d'une excellente valeur nutritive. (Voir aussi le sébaste de l'Atlantique.)

Recettes: Toutes les espèces de scorpènes peuvent être utilisées dans les recettes de filets. Ces poissons sont aussi délicieux cuits au four ou pochés et servis entiers. On peut en faire un plat principal attrayant et savoureux.

* Le sébaste du Pacifique s'appelle sébaste à longue mâchoire. Sa coloration est rouge vif avec des bandes latérales étroites, vert olive. Sa mâchoire inférieure est proéminente et il atteint souvent 50 cm (20 po) de long et un poids de 0,75 à 1,5 kg (1,5 à 3 lb).

Morue charbonnière *(F)*

La morue charbonnière, qui n'est pas une véritable morue, est considérée comme l'un des meilleurs poissons fumés. On l'appelle aussi bécheau noir. Poisson de taille moyenne au corps aérodynamique, son dos est noir ou gris noirâtre et son ventre, gris pâle. La taille moyenne des prises varie entre 55 et 85 cm (22 à 34 po) et leur poids, entre 2 et 3 kg (4 à 6 lb). La plus grande morue charbonnière jamais rapportée mesurait plus de 90 cm (36 po) et pesait 20 kg (44 lb). Une fois fumée, la surface de la chair est jaunâtre, mais après la cuisson, la chair juteuse, qui se détache en gros flocons, est blanche et a un goût caractéristique savoureux. La morue charbonnière est rarement mise en marché à l'état frais au Canada à cause de sa haute teneur en huile. Cependant, on la consomme largement à l'état frais au Japon et, avec une manutention soignée et une bonne commercialisation, elle pourrait devenir recherchée sous cette forme au Canada dans un proche avenir. L'huile de son foie contient beaucoup de vitamines A et D, presque autant que l'ophiodon, et se vend sur le marché.

Recettes: Peut être utilisée dans la plupart des recettes de poisson fumé.

FAMILLE DES SALMONIDÉS *(A)*

Saumon sockeye. Connu sous des noms différents selon qu'il est pêché en Alaska, dans le fleuve Colombia ou ailleurs, le saumon sockeye est jugé supérieur à tous les autres saumons du Pacifique à cause de sa belle chair rouge et de sa haute teneur en huile. À l'âge adulte, son poids se situe généralement entre 2,5 et 3,5 kg (5,5 à 8 lb) et il mesure environ 85 cm (34 po) de long. Sa vie est relativement courte, mais animée. La principale saison de pêche a lieu pendant les remontes, de juin à septembre, la plupart des autres pêches étant faites en juillet. Le saumon migre en vue du frai pendant l'été et au début de l'automne, quand il revient du Pacifique vers les lits de rivières ou les lacs qui l'ont vu naître, trois à cinq ans plus tôt. Il ne se nourrit plus à partir du moment où il s'engage dans la rivière et parcourt parfois jusqu'à 1 600 km (1 000 mi), se mesurant pendant des semaines aux obstacles que posent les rapides, les chutes, les roches et les arbres tombés, jusqu'à ce que, meurtri et épuisé par son voyage, il atteigne les eaux calmes des frayères où il est né. Sa coloration commence à changer au début de son long voyage. D'une couleur argentée, passant par le bleu verdâtre sur le dos (aussi parsemé de fines taches noires), le saumon sockeye se pare d'une robe cramoisie alors que la tête tourne au vert. Chez le mâle se développe également une bosse marquée sur le dos et un museau crochu, tandis que la femelle garde sa forme normale. Avec la fin de la reproduction se termine le cycle biologique du saumon sockeye. Peu de temps après, il meurt et son corps, déjà dégradé, est emporté par le courant.

À cause de l'uniformité de sa taille, de sa haute teneur en huile et de sa faculté de garder sa coloration rouge vif même après la mise en conserve, le saumon sockeye est le plus précieux des saumons et est utilisé principalement pour les conserves destinées au marché national et d'exportation.

Saumon coho. Le saumon coho atteint l'âge adulte à la fin de sa troisième année. Il pèse alors entre 3 et 6 kg (6,5 à 13 lb). Le coho adulte remonte les rivières au début de l'automne et fraye en octobre et en novembre. Contrairement au saumon sockeye, il fraye dans les cours d'eau à proximité de l'océan, quoique l'on ait observé certains cohos jusqu'à 640 km (400 mi) à l'intérieur. La plupart des prises sont mises en marché à l'état frais ou congelé, mais une partie est mise en conserve et le produit est comparable, sur le plan de la coloration et du prix, au saumon sockeye. Cette espèce de saumon est aussi l'un des poissons-gibiers les plus recherchés des pêcheurs sportifs. Le coho se capture de la mi-juin au mois de novembre, selon les secteurs de pêche.

Saumon rose. Le saumon rose a un cycle biologique très court de deux années seulement, qui, à l'exception de la période d'incubation de six mois dans le gravier du lit de la rivière, se passent entièrement dans les riches aires de nourrissage de l'océan. Il atteint, en moyenne, le poids remarquable de 1,5 à 3 kg (3 à 6,5 lb) à l'âge adulte, quelques-uns atteignant parfois jusqu'à 5 kg (11 lb). La principale saison de débarquement du saumon rose s'étend de juillet à septembre. On le surnomme, en anglais, le bossu à cause de la grosse bosse qui se développe chez les mâles à l'époque de la reproduction. Sa coloration passe du bleu acier en mer au gris bleu sur la partie supérieure, les flancs étant rougeâtres ou jaunâtres chez les mâles et vert olive chez les femelles. Il se distingue facilement du rouge vif et du vert du saumon sockeye et on le voit difficilement, car il se confond avec le milieu naturel. Sur le plan commercial, le saumon rose est utilisé exclusivement pour la mise en conserve; sa chair est d'un beau rose délicat. C'est l'espèce de salmonidés la plus abondante en Colombie-Britannique.

Saumon kéta. Le saumon kéta devient habituellement adulte pendant sa troisième ou quatrième année. Il peut atteindre jusqu'à 16 kg (35 lb), mais le poids du poisson adulte normal varie entre 4 et 9 kg (9 à 20 lb). On le capture surtout de juillet à novembre. Il est le dernier des saumons du Pacifique à frayer et il entreprend sa migration vers l'amont des rivières à la fin de l'automne. Il dépose ses oeufs dans le gravier entre décembre et février, et les alevins qui émergent du gravier migrent directement vers la mer au printemps. Sa coloration va du noir au gris ou au brun rougeâtre foncé, et le museau du mâle reproducteur, prend une forme crochue et grotesque qui expose ses dents acérées. Les prises sont mises en conserve, salées à sec ou congelées. Sa chair est rose mais plus pâle que celle du saumon rose.

Saumon quinnat. Le quinnat, le plus gros des saumons, pèse à l'âge adulte entre 5 et 25 kg (11 à 55 lb), mais on a rapporté des spécimens atteignant 63 kg (140 lb). C'est aussi un poisson de sport très recherché et facilement identifiable grâce aux taches noires qui parsèment son dos bleu vert. La coloration de la chair va du rouge vif aux diverses teintes de rose et au blanc et il est mis en marché à l'état frais ou congelé. Ses habitudes migratoires diffèrent beaucoup de celles des autres espèces de saumon. Les adultes retournent frayer entre 2 et 7 ans, habituellement vers 3, 4 ou 5 ans, dans les régions du Sud et, vers 5 ou 6 ans, dans le Nord. La migration a lieu généralement au printemps et à l'automne, mais on peut l'observer en amont des rivières à peu près toute l'année. Ceux qui remontent tôt tendent à voyager le plus loin, parfois jusqu'à 1 600 km (1 000 mi) à l'intérieur, tandis que ceux qui vont frayer plus tard ne parcourent que de courtes distances. Le saumon quinnat adulte peut vivre de trois à sept ans. La principale saison de pêche a lieu d'avril à octobre.

Recettes: Que le saumon soit frais, congelé ou en conserve, blanc, rose ou rouge, la valeur nutritive de toutes les espèces est comparable. Seule la teneur en gras peut varier, celle du saumon sockeye étant plus élevée que les autres. Le moment de l'année (saison de reproduction) est aussi un facteur déterminant de la teneur en gras du saumon.

RAIE *(F)*

La raie a une forme inhabituelle et ressemble à une plie en losange. Il y a plusieurs espèces, dont la plus connue commercialement en Colombie-Britannique est la grande raie. Ses ailerons se vendent en quantités considérables. Elle peut atteindre des proportions énormes: on a rapporté des raies de 180 cm (72 po) de long et pesant 100 kg (220 lb). Les ailerons de la raie ne ressemblent pas aux autres filets de poisson, mais ils sont faciles à préparer quand on sait comment. (Voir aussi la raie de l'Atlantique.)

TRUITE ARC-EN-CIEL *(A)*

Membre de la famille des salmonidés, la truite arc-en-ciel anadrome est l'équivalent, dans le Pacifique, du saumon de l'Atlantique. Comme celui-ci, elle peut frayer plus d'une fois et retourne en mer après le frai. Les jeunes passent de deux à trois ans en eau douce avant de descendre en mer. Il y a même des truites qui passent toute leur vie en eau douce; celles-là ne sont pas anadromes. Bien que la plupart des espèces de truites soient hautement prisées par les pêcheurs sportifs, la truite arc-en-ciel anadrome est la seule qui ait une valeur commerciale. Les autres espèces de truites que l'on trouve dans les rivières et au large de la côte du Pacifique sont la truite brune, la truite fardée côtière, la Dolly Varden et l'omble de fontaine ou truite mouchetée.

Recettes: La truite peut être utilisée dans la plupart des recettes de saumon.

MORUE DU PACIFIQUE OCCIDENTAL *(F)*

La morue du Pacifique occidental est l'une des espèces les moins bien connues de la côte du Pacifique du Canada*. Membre de la famille des morues, elle se gagne cependant la faveur du marché, devenant graduellement un substitut accepté et bon marché d'espèces mieux connues et souvent rares. Ses yeux sont extrêmement grands et elle est facilement identifiable par sa mâchoire inférieure proéminente et son corps effilé. Sa coloration va du vert olive au brun sur le dos; les flancs sont argentés. À l'âge adulte, elle atteint de 45 à 55 cm (18 à 22 po) de long. Elle se vend à l'état frais ou congelé et est pêchée tout au long de l'année. Elle fraye de mars à avril et, récemment, on a commencé à la pêcher pour ses oeufs qui sont vendus sur le marché japonais.

Remarque: Il y a plus de morue du Pacifique occidental débarquée par tous les pays que toute autre espèce particulière de poisson.

Recettes: La chair de la morue du Pacifique occidental est moins ferme que celle de la vraie morue, mais si elle est manipulée avec soin et congelée fraîche, elle peut être utilisée dans la plupart des recettes de filets.

* La morue du Pacifique occidental est aussi abondante au large de l'Asie et dans la mer de Béring.

MOLLUSQUES ET CRUSTACÉS

CRABE ROYAL DE L'ALASKA *(CRUST)*

Le crabe royal est plus difficile à trouver et vit surtout au large des îles de la Reine-Charlotte et le long du littoral de l'Alaska. Il mesure, en moyenne, un mètre (40 po) d'une extrémité à l'autre; il a une carapace dure et de longues pattes, ainsi qu'une grande et une petite pince. Très recherchée, sa chair est souvent préférée à celle du homard et des autres crabes. C'est un mets de gourmet. On le pêche généralement du mois d'août au mois de novembre. La pêche est interdite pendant la saison de reproduction, soit en février et mars.

Recettes: Le crabe peut être substitué au homard, aux crevettes ou aux pétoncles.

MOULE COMMUNE *(M)*

Voir la moule commune dans la section des espèces de l'Atlantique, p. 27.

CLAMS *(M)*

Il y a un très grand nombre d'espèces de clams sur la côte du Pacifique. Cependant, cinq seulement sont utilisées à des fins commerciales.

La *palourde jaune* est la plus abondante des espèces commerciales intertidales et elle est largement utilisée pour la mise en conserve et les chaudrées. Elle est de forme ovale et les prises commerciales mesurent, en moyenne, 7,5 cm (3 po) de long.

La *palourde du Pacifique* est plus petite, sa taille commerciale atteignant, en moyenne, 5 cm (2 po) de longueur environ. Elle est habituellement vendue à l'état frais ou congelé et est utilisée pour la cuisson à la vapeur.

La *palourde japonaise* a été introduite accidentellement en Colombie-Britannique avec du naissain d'huîtres importé du Japon. Elle ressemble étroitement à la palourde du Pacifique indigène, mais sa forme est plus allongée, sa couleur plus foncée et elle a parfois des taches brunes ou noires. L'extrémité du siphon est fendue sur environ 0,5 cm (¼ po), ce qui permet de la distinguer aisément de la palourde du Pacifique indigène. La taille moyenne des prises commerciales est de 5 cm (2 po) et elles sont habituellement vendues à l'état frais ou congelé pour la cuisson à la vapeur.

Le *couteau* ne se trouve que sur les plages sablonneuses battues par les vagues. En Colombie-Britannique, il n'existe en concentration importante que sur la côte nord-est des îles de la Reine-Charlotte et sur la côte ouest de l'île Vancouver. La taille moyenne des prises commerciales est d'environ 15 cm (6 po). Il est excellent et peut être consommé frit ou dans les chaudrées.

Le *géoduck* (prononcer gou-i-doc) est exploité commercialement depuis peu de temps en Colombie-Britannique. C'est le plus grand clam de la province; en effet, il peut atteindre 23 cm (9 po) et peser jusqu'à 4 kg (9 lb). La pêche est pratiquée entièrement par des plongeurs qui le récoltent dans les stocks subtidaux. La chair peut être coupée en darnes et frite, mise en conserve ou utilisée dans les chaudrées.

Le *clam cheval*, Tresus nuttalli, est aussi connu sous le nom de mactre du Pacifique. Il mesure jusqu'à 20 cm (18 po) de long, soit presque l'équivalent du gros géoduck. Il se distingue de ce dernier par des tentacules sur le bord intérieur. On le pêche à l'année. Le siphon et la chair sont congelés et vendus séparément.

Recettes: La palourde peut se substituer aux huîtres, aux moules et aux pétoncles.

CRABE DORMEUR *(CRUST)*

Le crabe le mieux connu sur le marché en Colombie-Britannique est le crabe dormeur du Pacifique. Vivant, il est brun bleuâtre sur le dos et de couleur sable en dessous. Il peut atteindre 25 cm (10 po) de largeur et pèse de 0,8 à 1,8 kg (1,75 à 4 lb). Des règlements sévères régissent la pêche commerciale et sportive du crabe. Il doit mesurer au moins 16,5 cm (6½ po) dans la partie la plus large de la carapace. Il vit habituellement en eau peu profonde, sur un fond sablonneux, mais il est de plus en plus difficile à trouver. La pêche se pratique au moyen de casiers à crabe dont l'emplacement est marqué par des bouées pour qu'on puisse les repérer facilement.

ORMEAU JAPONAIS *(M)*

La pêche de l'ormeau japonais est concentrée principalement dans la région côtière septentrionale, dont l'ormeau préfère les eaux abritées. Il a une coquille rose ondulée, dont la surface intérieure de nacre irisée est très belle. Il est pêché toute l'année et vendu à l'état congelé, soit écaillé, soit dans sa coquille.

POULPE *(M)*

Bien que le poulpe du Pacifique mérite l'attention, car c'est un animal marin intéressant et utile, il s'est acquis une renommée bien peu méritée de créature horrifiante du fond des mers. Sa croissance est rapide et son poids peut dépasser 45,5 kg (100 lb) en l'espace de cinq ans. On a même rapporté des spécimens de plus de 182 kg (400 lb). Cependant, la plupart des poulpes capturés à des fins commerciales pèsent moins de 32 kg (70 lb) et mesurent, en extension, environ 4,5 m (15 pi). L'intérêt pour l'exploitation commerciale du poulpe en Colombie-Britannique s'est récemment accru, car il peut être utilisé comme appât pour la pêche du flétan et pour l'exportation à des fins alimentaires. On en débarque chaque année en Colombie-Britannique environ 34 000 kg (75 000 lb). Sur le marché national, on peut trouver du poulpe frais ou congelé dans de nombreuses poissonneries spécialisées.

Recettes: Le poulpe peut être utilisé dans les recettes de calmar, d'ormeau dans les recettes de calmar, d'ormeau et d'autres fruits de mer, après préparation.

HUÎTRES *(M)*

Il y a plusieurs espèces d'huîtres dans les eaux de la Colombie-Britannique, mais l'huître du Pacifique est la seule à être utilisée commercialement. Le stock d'origine d'huîtres du Pacifique a été importé du Japon dans la province vers 1912. La plupart des huîtres vendues en Colombie-Britannique sont élevées dans des parcs ostréicoles inscrits aux registres, loués auprès de l'administration provinciale. Ces parcs sont situés dans la zone intertidale, à de nombreux endroits dans le sud de la Colombie-Britannique, principalement dans certaines parties du détroit de Géorgie, comme le secteur des îles Gulf, le havre Ladysmith, le détroit Baynes, l'inlet Maslapina et le havre Pender. La reproduction est irrégulière en Colombie-Britannique, mais elle a lieu surtout en juillet et en août. Contrairement à la croyance populaire, les huîtres ne sont pas dangereuses pendant les mois dont le nom ne comporte pas la lettre «R», mais leur chair est molle et aqueuse pendant la période de reproduction, et leur valeur commerciale est donc inférieure. Dans des conditions de croissance normales, les huîtres peuvent être récoltées trois ou quatre ans après la reproduction. En Colombie-Britannique, elles sont mises en marché déjà écaillées, c'est-à-dire que la chair est retirée de la coquille. La longueur moyenne des huîtres sur le marché est de 12 à 18 cm (5 à 7 po).

CREVETTE *(CRUST)*

Des nombreuses espèces de crevettes qui vivent au large de la côte de la Colombie-Britannique, cinq seulement sont exploitées à des fins commerciales: la crevette barrée, la crevette rose, la crevette tache, la crevette à front rayé et la crevette des quais. De la petite à la grande crevette, la taille varie entre 5 et 20 cm (2 à 8 po) et elles sont mises en marché à l'état frais ou congelé, entières, avec ou sans carapace, cuites ou crues et en conserve. Comme tous les crustacés, sa coloration passe du gris-vert au rose ou rouge vif pendant la cuisson.

CALMAR *(M)*

Voir le calmar de l'Atlantique, p. 30.

Espèces communes de poissons ❧D'eau douce☙

Omble chevalier

Il y a deux formes distinctes d'omble chevalier; une qui migre vers la mer en été pour se nourrir, revenant passer l'hiver en eau douce; c'est la forme anadrome. L'autre demeure en eau douce pendant toute sa vie; c'est la forme cantonnée en eau douce ou landlockée. Le corps de l'omble chevalier est allongé, typique du saumon et de la truite. Sa coloration est argentée, le dos et la partie supérieure des flancs étant bleu foncé ou bleu vert, avec parfois des taches roses sur le côté. Lors du frai, l'omble peut revêtir un coloris rouge ou orange vif, selon la région. Son poids moyen est de 1 à 5 kg (2 à 11 lb), bien que certains ombles aient pesé à la capture 14 kg (31 lb). Selon l'endroit où il vit, il faut parfois de 7 à 12 ans avant que l'omble anadrome devienne adulte; on a même vu des ombles de 24 ans. L'omble chevalier landlocké devient adulte à un âge moins avancé. Son poids moyen est de 1 à 2 kg (2 à 4 lb). L'omble fraye tous les deux à trois ans et peut être pêché à longueur d'année, bien que sa croissance lente et sa reproduction peu fréquente en fassent une espèce qui ne peut soutenir une exploitation intensive. La pêche commerciale est donc surveillée de près par l'Institut des eaux douces. Comme le saumon quinnat, la coloration de sa chair va du rouge orangé au rose et même au blanc.

Recettes: L'omble chevalier est considéré comme un mets fin et peut être utilisé dans toute recette de saumon, de truite ou d'autre poisson à chair ferme.

CARPE

Ce poisson n'est pas encore générale-
ment connu ou accepté, mais il gagne lentement en faveur par suite des efforts
de quelques entrepreneurs qui ont mis en marché des carpes de taille
moyenne ou petite, qu'ils gardent vivantes dans des bassins. Les autres
carpes sont vendues nettoyées et mises en glace ou fumées. La coloration est
ordinairement vert olive sur le dos et passe au jaunâtre sur le ventre. Le poids
moyen de la carpe capturée à des fins commerciales dépasse souvent 7 kg
(15 lb), et certaines prises ont même atteint plus de 23 kg (50,5 lb).

Recettes: Les filets de carpe peuvent remplacer la morue, l'aiglefin, la
goberge, etc., quand ils sont frais, et toute espèce de poisson fumé, quand ils
sont fumés.

LAQUAICHE AUX YEUX D'OR

Connue surtout à l'état fumé, la laquai-
che aux yeux d'or est rarement vendue à l'état frais, car sa chair a alors une
couleur peu attrayante et son goût est insipide. Fumée, c'est toutefois un
produit de luxe très estimé, mais surtout connu dans la région de Winnipeg.
Vivante, la laquaiche a la coloration typique du hareng: bleu foncé tirant sur le
vert bleu sur le dos et les flancs supérieurs, face ventrale argentée, se fondant
en blanc. Le produit fumé, très estimé, est rouge brillant, orange et doré. On
obtenait autrefois cette coloration par traitement à la fumée de saule seulement, mais aujourd'hui, on se sert surtout de colorants alimentaires inoffen-
sifs. Son poids peut varier considérablement d'une région à l'autre, mais elle
pèse ordinairement environ de 0,5 à 1 kg (1 à 2 lb) et mesure entre 25 et 30 cm
(10 et 12 po) de long.

Recettes: Peut être utilisée dans toutes les recettes de poisson fumé.

INCONNU

Baptisé «poisson inconnu» par les pre-
miers colons français, qui voyaient un poisson de ce genre pour la première
fois, le nom lui est resté. Sa coloration générale est argentée; le dos est
ordinairement vert et tire sur le brun pâle, la nageoire dorsale étant foncée à
l'extrémité. Sa chair est blanche et tendre. Bien qu'il ne soit pas rare de
capturer un inconnu pesant 15 kg (33 lb), le poisson moyen pèse ordinairement

de 4 à 6 kg (9 à 13 lb). L'inconnu est l'une des cinq espèces pêchées à des fins commerciales dans le Grand lac des Esclaves et dans les Territoires du Nord-Ouest et il peut être capturé toute l'année.

Recettes: L'inconnu peut être utilisé dans toutes les recettes de saumon, de truite ou d'autres poissons à chair ferme.

TOULADI

Le touladi, ou truite grise, appartient à la famille des salmonidés. C'est la plus grande des truites. D'ailleurs le plus gros touladi rapporté en Amérique du Nord pesait 46 kg (102 lb), bien que le poisson de taille moyenne sur le marché pèse entre 2,5 et 5 kg (5,5 à 11 lb). Dans certains lacs des Territoires du Nord-Ouest, la pêche du touladi est une pêche à trophée avec limite de captures; on essaie ainsi d'encourager la capture des plus grandes truites. Sa coloration générale va du presque noir au vert très pâle et sa chair est parfois ivoire, bien qu'elle puisse revêtir toutes les teintes jusqu'au rose foncé. Le touladi peut être exploité toute l'année.

Recettes: C'est un poisson fort estimé qui peut être utilisé dans toutes les recettes de saumon.

GRAND CORÉGONE

Le grand corégone est le roi des eaux douces. C'est l'une des espèces commerciales d'eau douce du Canada les plus précieuses, aussi bien connue et estimée en Europe et aux États-Unis. Bien que certains corégones soient beaucoup plus gros, les prises commerciales pèsent environ 1,5 kg (3 lb) et mesurent près de 45 cm (18 po) de long. Il est exploité et mis en marché pendant toute l'année. La coloration générale du grand corégone est argentée; son dos est brun vert et parfois brun foncé, les flancs sont argentés et le ventre est blanc argenté. La nageoire caudale est distinctement fourchue, tandis que la tête et la bouche sont relativement petites par rapport à sa taille générale. Sa chair est blanche et, après la cuisson, elle se détache en gros flocons juteux. Son goût est délicat et plutôt doux.

Recettes: Le corégone peut être utilisé dans toutes les recettes de saumon, de truite, de flétan ou d'autres poissons à chair ferme.

MEUNIER

Le meunier n'est que l'une des quelque seize espèces de la famille des meuniers et des suceurs capturées à des fins commerciales. Il devient adulte entre 4 et 9 ans, selon l'endroit: le poisson du

Nord arrive à maturité plus tard que celui du Sud. Il a un poids moyen de 0,5 kg (1 lb), bien qu'il puisse atteindre un maximum de 3,5 kg (8 lb) et une longueur de 35 cm (14 po). Il est capturé principalement au printemps, lorsqu'il est en route vers les frayères dans des rivières à eaux vives alimentant les grands lacs qui constituent son habitat naturel. Les oeufs éclosent après quelques jours et les petits alevins dérivent dans le courant pour se retrouver en grands bancs le long de la rive des lacs. La chair du meunier est blanche et tendre.

Recettes: À cause de la tendreté de sa chair, nous recommandons les recettes de poisson émietté.

GRAND BROCHET

Le grand brochet vit dans les lacs et les cours d'eau tranquilles de la région d'eau douce. C'est un poisson de sport très estimé qui est aussi vendu commercialement sous diverses formes. Son corps est très long par rapport à sa hauteur et à sa largeur. La coloration est vert foncé, le corps étant parsemé de taches plus pâles. Son ventre est blanc jaunâtre. Sa bouche est grande et affiche des dents acérées. Son poids moyen varie entre 1 et 2 kg (2 et 4 lb), mais certains spécimens ont atteint 20 kg (44 lb). Le grand brochet est aussi important comme poisson commercial que comme poisson de sport. Après la cuisson, sa chair est blanche, ferme, délicieuse et s'effeuille facilement.

Recettes: Le grand brochet se prépare comme tout autre poisson à chair ferme, en filets, en darnes ou entier.

DORÉ JAUNE

Connu aussi sous le diminutif de doré à cause de son apparence, il est généralement considéré comme l'un des meilleurs poissons. Sa chair est ferme, blanche, s'effeuille bien et son goût est délicat. Sa coloration est très variable selon l'habitat. Sa couleur de fond va du brun olive au jaune (dos plus foncé, flancs plus pâles), souvent avec de petites taches dorées sur les flancs, tandis que la face ventrale est blanc jaunâtre. Le poids moyen des prises commerciales est de 1 à 2 kg (2 à 4½ lb), même si certains poissons atteignent 10 kg (22 lb). Tout aussi important comme poisson de sport que comme poisson commercial, il est capturé toute l'année et vendu sur le marché sous diverses formes.

Recettes: Le doré est délicieux et peut être utilisé dans toute recette de poisson à chair ferme, entier ou en filets.

ÉPERLAN ARC-EN-CIEL

Proche parente de ses cousins anadromes, cette espèce est landlockée dans le réseau des Grands lacs et est répandue dans les cours d'eau du sud-est du Canada. On l'exploite commercialement sur une grande échelle à longueur d'année, même si la saison principale va d'avril à mai. Sa coloration et sa taille sont identiques à celles de l'éperlan de l'Atlantique. (Voir l'éperlan de l'Atlantique, p. 15).

Recettes: Peut être utilisé dans toutes les recettes d'éperlan ou de capelan.

TRUITE ARC-EN-CIEL

Bien connu des pêcheurs sportifs de lac et de rivière, ce membre de la famille des salmonidés est un peu plus petit que son proche parent, la truite arc-en-ciel anadrome. Il mesure en moyenne de 30 à 45 cm (12 à 18 po) de long et pèse rarement plus de 8 kg (18 lb). Les truites arc-en-ciel d'Europe et du Japon, élevées en étang et pesant environ de 500 à 750 g (½ à ¾ lb), gagnent en faveur en Amérique du Nord, car elles sont de taille uniforme et constituent une portion idéale pour le marché du détail et de la restauration. Les fermes expérimentales d'élevage sont maintenant de plus en plus nombreuses dans plusieurs régions du Canada et connaissent un succès croissant. La coloration de la truite varie beaucoup selon la région et le milieu. La truite arc-en-ciel diffère de sa cousine anadrome par une bande latérale rose tirant sur le rouge, bien marquée, et un grand nombre de petites taches noires limitées surtout à la partie située au-dessus de la ligne latérale. Frayant principalement au printemps, certaines truites observées ont frayé jusqu'à cinq années de suite, bien que ceci ne soit pas fréquent, car le taux de survie est faible. La chair de la truite arc-en-ciel va du rouge riche au rose tirant sur le blanc, variant selon son alimentation. Celles qui se nourrissent d'invertébrés ont une chair rouge vif à rose, tandis que chez celles qui se nourrissent de poisson, la chair est plus pâle.

Recettes: La truite est délicieuse cuite au four, grillée au four ou à la braise ou pochée, et peut être utilisée dans toutes les recettes de saumon.

DORÉ NOIR

La plus grande proportion de prises commerciales canadiennes de doré noir provient du Manitoba. Parent du doré jaune, le doré noir est un petit poisson qui dépasse rarement 45 cm (18 po) de long et un poids de 0,5 kg (1 lb). Il peut être pêché toute l'année. Sa couleur de fond est le plus souvent sable ou brun, la face dorsale est brune, les flancs sont plus pâles et la face ventrale est blanche. Il se distingue du doré jaune par ses joues recouvertes d'écailles. Quelle que soit sa taille, le doré noir est un poisson savoureux et bien estimé.

Recettes: Le doré noir, comme le doré jaune, peut être utilisé dans toutes les recettes de poisson maigre, entier ou en filets.

CISCO DE LAC

Le nom anglais de «tullibee», désignant le cisco de lac, était utilisé par les pelletiers des débuts de la colonie pour désigner un groupe complexe de plus de quatorze espèces d'eau douce de l'Ouest canadien. Outre le cisco de lac, cette famille comprend le cisco à mâchoires égales, le cisco à museau court, le cisco à nageoires noires, le cisco de profondeur et le cisco à grande bouche. De coloration générale argentée, le dos du cisco de lac varie du noir au bleu, au vert ou au tan; ses flancs sont argentés et son ventre est blanc. La forme et la taille varient selon l'espèce. Les plus grands mesurent environ 35 cm (14 po) de long et pèsent en moyenne 1 kg (2 lb). Dans certaines parties du pays, cependant, des ciscos de 3,5 kg (8 lb) ont été capturés. On le pêche à des fins commerciales en Ontario et au Manitoba et il peut être pêché tout au long de l'année.

Recettes: Le cisco est excellent frit à la poêle, comme la plupart des petits poissons. Il est aussi souvent fumé; dans ce cas, on peut utiliser n'importe quelle recette de poisson fumé.

PERCHAUDE

De coloration générale jaunâtre avec des barres verticales foncées, la perchaude vit dans les lacs, les étangs et les rivières tranquilles de la région des eaux douces jusqu'au Grand lac des Esclaves. C'est un petit poisson, mesurant en moyenne 22 cm (9 po) de long et pesant 0,254 kg (0,5 lb). Il peut être pêché toute l'année et il est aussi important comme poisson commercial que comme poisson de sport.

Recettes: La perchaude a un goût doux et est excellente grillée ou frite à la poêle.

2

GUIDE
DU
CONSOMMATEUR

DIVERSITÉ

POINTS À SURVEILLER
À L'ACHAT DU POISSON

APPRÊT DU POISSON

CONSERVATION DU POISSON
À DOMICILE

NUTRITION

❧DIVERSITÉ❧

Le poisson se vend sous diverses formes. Il peut être frais, congelé, fumé, salé, saumuré, séché ou en conserve.

POISSON FRAIS — ENTIER

Toute la famille des salmonidés, truite, morue, ophiodon, morue charbonnière, aiglefin, goberge, merlu, brosme, loup, scorpènes et sébaste, hareng, alose, gaspareau, éperlan, capelan, stromatée à fossettes, aiguillat, espadon, maquereau, thon.
Voici les diverses coupes de poisson frais:

Le poisson entier est mis en marché tel qu'il sort de l'eau. Avant de le faire cuire, il faut retirer les entrailles, les ouïes, les nageoires et les écailles. On peut à volonté laisser la tête et la queue. Dans le cas de petits poissons, comme l'éperlan et la truite, on se contente souvent de n'enlever que les entrailles avant de les faire cuire. À l'achat de poisson entier, il faut compter 500 g (1 lb) par portion.

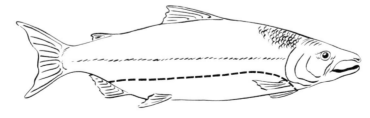

Le poisson habillé est aussi dit, parfois, vidé ou éviscéré. Le poisson habillé est débarrassé de ses entrailles et de ses ouïes. Avant de le faire cuire, il reste à enlever les nageoires et les écailles. Il n'est pas indispensable d'enlever la tête et la queue. À l'achat, compter 500 g (1 lb) par portion.

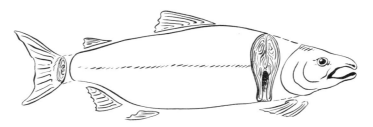

Le poisson paré est débarrassé de la tête, de la queue, des nageoires, des ouïes, des entrailles et des écailles. Il est prêt pour la cuisson. Les gros poissons sont généralement taillés en morceaux allant de 500 g à 1 kg (1 à 2 lb). Compter 500 g (1 lb) par deux portions.

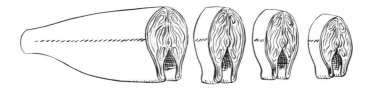

Les *darnes* sont prélevées sur le travers des gros poissons. Elles sont prêtes à faire cuire telles qu'achetées. Il suffit de couper à travers la grande arête pour diviser les très grandes darnes. L'épaisseur des darnes varie généralement de 1,25 à 2,5 cm (½ à 1 po). Compter 500 g (1 lb) pour deux ou trois portions.

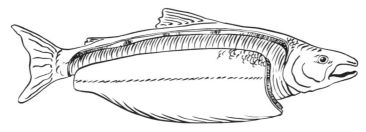

Les *filets* sont les flancs du poisson, prélevés dans le sens de la longueur, à partir de la grande arête. Ils doivent être pratiquement sans arête, et très souvent, la peau a été enlevée. Le filet prélevée sur un côté du poisson est un filet simple. Lorsque les filets prélevés des deux côtés de petits poissons restent unis par la peau, ils sont dits filets papillons. Compter 500 g (1 lb) pour trois portions.

POISSON PLAT

La famille des soles, celle des plies et des flets, et les flétans.

Entier — Petit poisson plat qui peut être mis en marché tel qu'il sort de l'eau. Avant de le faire cuire, il faut enlever la tête, la queue, les entrailles, les ouïes et les nageoires. Il est plus facile de retirer les arêtes du poisson cuit entier, car il suffit de tirer sur la grande arête après la cuisson pour enlever les filets. Compter 500 g (1 lb) par portion.

Filets — Le poisson plat est la plupart du temps vendu en filets, générale-ment dépiautés, sauf s'ils sont très minces (par exemple s'il s'agit d'une petite sole). Si la peau n'a pas été enlevée, les filets auront l'un une peau foncée, l'autre une peau blanche. Il n'y a aucun danger à consommer les deux, bien que certaines personnes préfèrent retirer la peau sombre avant la cuisson. Les filets des poissons plats ont habituellement été débarrassés de leurs arêtes. Compter 500 g (1 lb) pour trois portions.

Darnes — Seuls les flétans sont assez gros pour qu'on en fasse des darnes. Souvent, les darnes sont tellement grandes qu'il faut les découper en portions individuelles. Elles sont la plupart du temps congelées. Compter 500 g (1 lb) pour deux ou trois portions.

Ailerons de raie fraîche — La raie est une espèce unique en son genre. On la prépare habituellement pour la mise en marché en coupant les ailerons en larges bandes à travers le cartilage. Elle est parfois fraîche, mais le plus souvent congelée. Compter 500 g (1 lb) par portion.

POISSON FRAIS — POISSON CONGELÉ

Les habitudes saisonnières de nom-breux poissons, ainsi qu'un certain nombre de problèmes inhérents à l'indus-trie de la pêche, comme les conditions météorologiques, font qu'il est impossi-ble d'approvisionner le marché en poisson frais pendant toute l'année. Cependant, grâce à la mise au point des techniques de surgélation et de l'usage répandu des entrepôts frigorifiques, ainsi que des véhicules de trans-port réfrigérés dans tout le pays, il est maintenant possible d'offrir du poisson au consommateur en tout temps. S'il est manipulé avec soin à toutes les étapes du réseau de distribution et à la maison, le poisson congelé garde sa fraîcheur et peut remplacer sans problème le poisson frais.

Sur les marchés intérieurs, on trouve des petits poissons habillés et conge-lés, ainsi que des morceaux et des darnes de gros poisson. Le poisson congelé se présente le plus souvent sous forme de filets, en paquets de 500 g (1 lb). Les filets surgelés séparément se vendent en paquets de diverses grosseurs. Les paquets de filets, mis en boîtes et emballés, sont les plus faciles à offrir dans les épiceries et les supermarchés, bien que, sous cette forme, le consommateur ne soit pas en mesure de juger de l'apparence du poisson. Beaucoup de nouveaux produits de poisson ou de fruits de mer font leur apparition sur le marché. Il y a de nombreux emballages de produits congelés préparés et prêts à cuire. Mentionnons, par exemple, les bâtonnets de poisson, panés ou en pâte à frire, les croquettes de poisson, les portions de poisson, au naturel ou panées, avec ou sans sauce, et les plats spécialisés de fruits de mer. Ces produits sont prêts à faire chauffer et à consommer sans autre préparation.

POISSON FUMÉ, SÉCHÉ ET SALÉ

Les espèces vendues sous forme de poisson fumé comprennent la morue de l'Atlantique, la morue charbonnière, la laquaiche aux yeux d'or, le cisco, l'aiglefin, le saumon, l'esturgeon, le hareng, l'anguille et le corégone. Ce genre de traitement confère au poisson une saveur caractéristique, mais ne contribue pas à le préserver et il doit être manutentionné et entreposé avec autant de soin que le poisson frais. Les kippers sont salés et fumés. La morue salée et séchée se vend en filaments ou en filets désossés. La morue salée sans arête est habituellement empaquetée dans des boîtes de bois de 500 g (1 lb).

POISSON EN CONSERVE

C'est sous cette forme que la distribution du poisson canadien est la plus étendue. Le consommateur canadien fait une grande consommation de poisson en conserve et il est aussi exporté dans de nombreux pays étrangers. La plus importante espèce mise en conserve, du point de vue de la production annuelle totale et de la valeur, est le saumon de la Colombie-Britannique, notamment le sockeye, le coho, le kéta et le saumon rose. Parmi les autres produits vendus en conserve et distribués dans les supermarchés du Canada, mentionnons le thon, le crabe, les myes et les palourdes, les huîtres, le maquereau, les sardines, le hareng, les miettes de gades et les filets de kippers. On trouve aussi une variété de produits fumés et saumurés, de pâtes et de plats-minute comme les chaudrées, les croquettes de poisson, le poisson blanc en sauce blanche, etc.

ROGUE DE POISSON

La popularité croissante des oeufs de nombreuses espèces de poisson coïncide avec la diminution des réserves mondiales de caviar d'esturgeon, principalement exporté d'Iran et d'U.R.S.S. Les poissons canadiens dont les oeufs sont comestibles et peuvent être vendus sur le marché national et le marché mondial sont les saumons et les truites, le hareng, la morue du Pacifique occidental, l'alose, le maquereau, la poule de mer, la morue, l'aiglefin, le thon, le corégone et le brochet.

La rogue désigne les gonades femelles juste avant la ponte. Elle est recueillie, souvent salée, et vendue à l'état frais ou congelé.

La couleur de la rogue va du blanc au rouge orange foncé selon l'espèce. La taille varie aussi en fonction de l'espèce. La rogue est un mets de luxe au Japon depuis des siècles et gagne en faveur sur le marché national à mesure que le consommateur se familiarise avec sa préparation et son goût.

Fruits de mer: mollusques et crustacés

Les crustacés capturés au large des côtes canadiennes comprennent le crabe, le homard et la crevette.

Les mollusques pêchés au large des côtes canadiennes sont les huîtres, les myes, les moules, les pétoncles et le calmar. Comme le poisson, les mollusques et les crustacés se présentent sous diverses formes.

Crabe — Le crabe dormeur du Pacifique est vendu vivant dans sa carapace ou entier, cuit ou congelé. On vend aussi la chair, extraite de la carapace, à l'état frais ou congelé. En outre, la chair de crabe du Pacifique en conserve se vend occasionnellement à peu près partout.

Le crabe des neiges et le crabe commun sont capturés au large de la côte atlantique. Leur chair est vendue à l'état congelé ou en conserve et est utilisée dans les plats minute précuits. On trouve aussi sur le marché des pattes et des pinces congelées de crabe des neiges.

Homard — On le trouve entier, vif ou cuit, et cuit et congelé. La chair de homard en conserve peut être soit congelée*, soit conservée sous pression. Il existe aussi d'autres produits secondaires du homard, comme les pâtes et les coquetels de homard.

Crevette — Elle se vend avec ou sans tête, fraîche ou congelée. On trouve aussi la chair de crevette cuite et épluchée. La plupart des crevettes du Pacifique sont de petites crevettes roses. La crevette rose capturée sur la côte est un peu plus grosse. Les grosses crevettes sont la plupart du temps importées des États-Unis, du Mexique ou de la Chine.

Huîtres — L'huître japonaise est un peu plus grande que sa cousine de l'Atlantique et sa coquille est un peu plus fragile. Les huîtres sont occasionnellement vendues en coquille, fraîches ou congelées, surtout l'huître Malpèque, huître très renommée de la côte est. Cependant, leur chair est ordinairement vendue écaillée, fraîche ou congelée, chez la plupart des marchands de poisson. Les huîtres congelées panées sont très en demande sur le marché de la restauration. On trouve aussi dans les supermarchés des huîtres en conserve, des huîtres fumées en conserve et des soupes d'huîtres en conserve.

Myes et palourdes — Elles sont vendues dans la coquille ou décoquillées à l'état frais, congelées ou en conserve. On peut aussi se procurer, à peu près partout, des chaudrées de palourdes ou de myes.

Moule commune — On la trouve surtout dans l'Est du Canada, à l'état frais, avec ou sans coquille, ou en conserve.

Pétoncles — Ce muscle rond en forme de guimauve se vend frais ou congelé (avec ou sans oeufs). Tous les pétoncles sont classés selon la taille avant la mise en marché. Ils sont aussi utilisés dans la préparation de plats minute.

Calmar — Se vend entier, frais ou congelé. On trouve aussi sur le marché des cônes, des tentacules et des ailerons de calmar congelés (parfois dépiautés).

Ormeau — Se vend frais ou congelé dans la coquille, en darnes congelées ou en conserve.

* Le homard en conserve congelé doit être gardé congelé jusqu'au moment de l'utilisation, car il n'a pas été stérilisé à la chaleur.

ALGUE ROUGE

L'algue rouge est une espèce semblable à l'algue séchée japonaise appelée «nori». L'algue rouge est cueillie à la main à marée basse et placée dans des réservoirs de lavage où elle est enroulée dans de l'eau de mer pour être exposée au soleil. La lumière du soleil et l'action de nettoyage de l'eau de mer constamment renouvelée apportent aux frondes fragiles un supplément de couleur et des éléments nutritifs. (Non seulement le plant demeure vivant dans les réservoirs mais s'il y demeure un certain temps, il sera bientôt entouré de nouvelles pousses minuscules en forme de coeurs.) Lorsqu'elle brille de minuscules balles bleues luminescentes, on la retire doucement du réservoir pour la placer sur les rochers exposés au soleil d'un champ de séchage.

L'algue rouge est nourrissante et très digestive. Près de 100 g (3,5 onces) par jour suffiront à une personne pour combler ses besoins en protéines. Elle est riche en minéraux, surtout en potassium et en calcium, mais elle est aussi une source importante de fer, de sodium, d'iode et d'autres éléments qui ajoutent une valeur particulière à une diète qui comprend des grains entiers. C'est également une bonne source de vitamines B1, B12, C, D et E.

On peut laver l'algue avant de s'en servir, mais le lavage élimine un certain nombre des 20 acides aminés présents et réduit les sels naturels. On doit l'examiner attentivement comme tout autre légume vert feuillu pour s'assurer qu'elle ne recèle rien d'indésirable tel que des pierres et des morceaux de coquillage.

On peut l'utiliser dans les salades, bouillis, soupes et plats en casserole pour en relever le goût et augmenter leur valeur nutritive. On peut les rôtir et les broyer pour garnir des hors-d'oeuvre ou des sandwichs ouverts, ou encore pour faire du thé aux herbes.

POINTS À SURVEILLER
⬥À L'ACHAT DU POISSON⬥

POISSON FRAIS

Le poisson frais a les caractéristiques suivantes:

Poisson entier ou éviscéré

a) La *peau* est luisante et claire et les *écailles* sont bien adhérentes.

b) Les *ouïes* sont rouge vif et exemptes d'humeurs visqueuses. À la longue, la couleur tourne au rose pâle, puis au gris; elle finit par devenir brunâtre ou verdâtre.

c) Les *yeux* sont brillants, clairs et pleins. Lorsque le poisson perd sa fraîcheur, ses yeux se troublent et rentrent.

d) La *chair* est ferme et élastique au toucher, et ne se sépare pas facilement des arêtes.

e) Le poisson frais a une *odeur* douce et caractéristique de l'espèce, jamais forte ni *déplaisante*.

Filets et darnes

a) La chair doit avoir l'apparence d'être fraîchement coupée, la couleur étant semblable à celle du poisson qu'on vient d'éviscérer. La texture est ferme. On ne doit y trouver aucun indice de brunissement sur les bords ou de dessication.

b) L'odeur est fraîche et douce.

c) Les filets et les darnes enveloppés doivent être recouverts d'une substance à l'épreuve de l'humidité et il ne doit y avoir que peu ou pas d'air entre le poisson et l'enveloppe.

MOLLUSQUES ET CRUSTACÉS — FRAIS

Les mollusques et les crustacés se détériorent rapidement, surtout s'ils sont écaillés ou débarrassés de leur carapace. Il est important qu'ils soient très frais à l'achat. S'ils sont encore dans leur coquille ou leur carapace, ils doivent être vivants ou cuits.

Crabe — Acheté vivant, il remue les pattes. En cuisant, il devient rouge vif et ne dégage pas d'odeur désagréable.

Homard — Comme le crabe, il remue les pattes s'il est vivant. En cuisant, il devient rouge vif, comme tous les crustacés, et a une odeur fraîche et agréable.

Crevette — La crevette fraîche a une douce odeur de mer et sa chair est ferme. Sa carapace parcheminée adhère bien au corps. Si le corps s'est détaché de la carapace en rétrécissant, la crevette n'est pas fraîche. La couleur de la carapace varie du vert grisâtre au tan et au rose pâle. Elle devient rouge à la cuisson, alors que la chair prend une teinte rose caractéristique, parfois marquée de taches rouges.

Huîtres, myes et moules — La coquille d'une huître de première qualité est dure et bien bombée. La coquille des huîtres, des moules et des myes vivantes est fermée hermétiquement ou se ferme quand on la touche. Une coquille béante indique que l'animal est mort et impropre à la consommation. Les myes et les moules sont dodues et baignent dans une eau claire. Les moules écaillées, après cuisson, sont orange vif.

Pétoncle — Ce muscle en forme de guimauve est classé selon sa taille. Frais, il est blanc ou blanc crémeux et a une apparence humide et une odeur agréable. Quand on le coupe, les fibres sont humides et pleines, sans trace de dessication.

Calmar — Il a une apparence fraîche et humide. Le calmar capturé sur la côte atlantique a une chair particulièrement blanche, tandis que celui du Pacifique a une chair plutôt blanc crémeux. Il ne dégage pas d'odeur forte.

POISSON ET FRUITS DE MER CONGELÉS

Le *poisson congelé et les fruits de mer congelés* doivent être manipulés avec soin pour parvenir au consommateur en bon état. L'altération de la qualité est retardée quand on les maintient constamment congelés à $-26°C$ ($-15°F$) ou à une température encore plus basse. Les changements de température pendant le transport ou dans les salles d'entreposage du marchand amoindriront la qualité du produit. Il suffit de vérifier les points suivants pour s'assurer que le poisson a été bien manutentionné.

La chair est solidement congelée au moment de l'achat. Elle a une apparence ferme et luisante, sans indice de dessication, c'est-à-dire sans taches blanches ni apparence du papier. Il n'y a ni taches sombres ni coloration de la chair, ni atténuation de la couleur.

Les filets et darnes et les mollusques et crustacés congelés sont enveloppés dans une substance à l'épreuve de la vapeur et de l'humidité. Il ne doit y avoir que peu ou pas d'air entre le poisson et son enveloppe. Une épaisse couche de givre à l'intérieur d'un emballage transparent est un signe d'entreposage prolongé ou de mauvais état, ou les deux. La plupart des filets congelés qu'on trouve dans le commerce sont emballés dans des cartonnages cirés et scellés à la machine. Les marques établies et le renom du détaillant sont alors les seules assurances de qualité du consommateur.

Le poisson entier, congelé à l'état rond ou habillé, n'est pas toujours enveloppé; dans ce cas, il doit être givré pour prévenir la dessication et la coloration.

APPRÊT DU POISSON, DES MOLLUSQUES ꙮET DES CRUSTACÉSꙮ

Diagramme d'un poisson entier pouvant servir de guide lors de la préparation du poisson capturé ou acheté.

POISSON PLAT

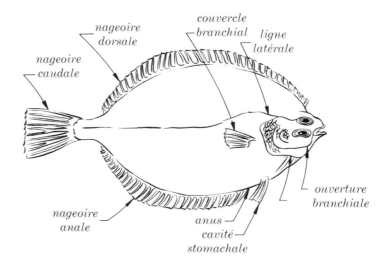

nageoire dorsale

couvercle branchial

ligne latérale

nageoire caudale

ouverture branchiale

nageoire anale

anus

cavité stomachale

POISSON ROND

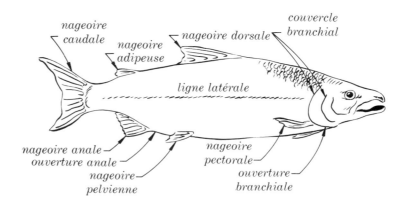

nageoire caudale

nageoire adipeuse

nageoire dorsale

couvercle branchial

ligne latérale

nageoire anale
ouverture anale

nageoire pelvienne

nageoire pectorale

ouverture branchiale

POUR NETTOYER ET ÉCAILLER UN POISSON ENTIER

D'une main, tenir fermement le poisson par la queue, écailler avec le dos d'un couteau, tenu à 45°, en remontant de la queue vers la tête.

Enlever la tête en la tranchant tout autour, à la base des ouïes.

Lever la nageoire pelvienne ainsi que le muscle qui la retient.

Enlever la nageoire dorsale en la coupant à contre-courant.

Enlever les autres nageoires en les coupant à contre-courant.

POUR FARCIR UN POISSON ENTIER

Sectionner les arêtes au-dessus de l'épine dorsale de la tête à la queue.

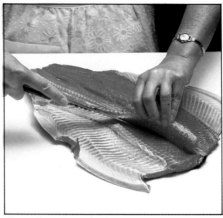

Poser le poisson à plat, ouvert, et couper les arêtes sous l'épine dorsale, de la tête à la queue.

Enlever l'épine dorsale, en découpant bien ce qui la retient mais en prenant bien soin de ne pas couper la peau du dos.

Enlever les arêtes de la cage ventrale des deux côtés.

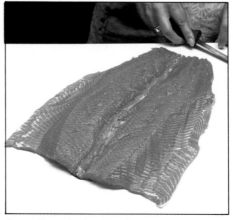

Les arêtes enlevées, le poisson est prêt à recevoir la farce.

Pour fileter un poisson entier

De la tête à la queue, ouvrir le poisson en pratiquant une large incision au milieu du dos, jusqu'à l'épine dorsale.

Commençant par la tête, lever le filet d'un côté en tranchant par petits coups rapides, de la tête à la queue.

Pour fileter un poisson plat / et dépiauter un filet

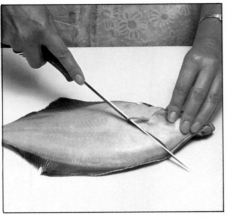

D'un côté, pratiquer une large incision en V, à la base de la tête, jusqu'à l'épine dorsale.

Avec un couteau bien aiguisé, lever le filet en tranchant délicatement par petits coups rapides, de la tête à la queue.

Retourner le poisson et pratiquer la même opération de l'autre côté.

Dépouiller le filet de sa peau avec un couteau maintenu à 45°, entre la chair et la peau, en tranchant par petits coups rapides.

POUR ÉPLUCHER LES CREVETTES / ET OUVRIR LES HUÎTRES

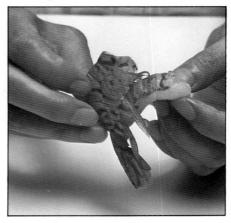

De la pointe de bons ciseaux de cuisine, couper la carapace jusqu'à la chair.

Éplucher la crevette, en laissant la queue si désirée.

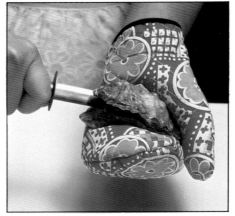

D'une main tenir fermement l'huître posée bien à plat, de l'autre travailler le couteau à huître entre les écailles pour les séparer.

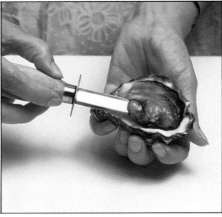

Détacher, du couteau, le muscle qui rattache l'huître à l'écaille.

POUR PRÉPARER UN HOMARD

Employer un solide couteau de cuisine pour le séparer en parties, tel qu'illustré.

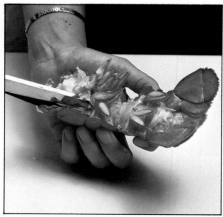

Employer des ciseaux de cuisine pour découper la membrane molle des deux côtés de la carapace, sous la queue.

Avec vos mains, séparer les pinces, à l'articulation.

Retirer la partie mobile de la pince.

Casser les pinces là où elles sont les plus épaisses, à l'aide d'une pince à homard ou d'un casse-noisettes.

Pour préparer un crabe

Arracher la carapace supérieure.

Séparer le corps en deux, arracher les pattes.
Casser les pinces avec un casse-noisettes.

Pour préparer le calmar

Calmar entier. Le doigt indique où finit l'épine dorsale transparente.

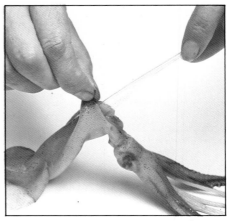

Prendre l'épine dorsale transparente et l'arracher.

Retirer le corps de son manteau en détachant délicatement.

Séparer les tentacules de la tête en les sectionnant, juste sous les yeux.

Arracher le bec des tentacules et le jeter.

Enlever la membrane transparente et tachetée, qui recouvre le manteau, et la jeter.

POUR ÉCAILLER LE POISSON

Tenir fermement la queue d'une main et, de l'autre, détacher les écailles tout autour du poisson avec un couteau émoussé ou un écailleur tenu à un angle de 45° et poussé contre la peau, de la queue vers la tête. Il vaut mieux faire ce travail sous l'eau courante froide pour éviter de faire voler les écailles.

POUR NETTOYER UN POISSON ENTIER

Le nettoyage consiste à éviscérer ou vider le poisson et à le laver à fond. Il n'est pas nécessaire d'enlever la tête et les nageoires. Avec un couteau fin et bien affûté (couteau à fileter ou à désosser) ou des ciseaux de cuisine, fendre la peau du ventre, de l'anus aux ouïes. Retirer les entrailles et enlever tout le sang en frottant à l'eau courante froide. Frotter avec du sel sous l'eau froide si le sang ne s'enlève pas aisément. Retirer la tête, s'il y a lieu, en coupant à la base des ouïes. Briser la grande arête en la pliant sur le rebord de la planche à découper ou de la table. Enlever les nageoires en pratiquant une incision dans la chair des deux côtés de la nageoire, avec un couteau bien affûté. Arracher la nageoire vivement en tirant vers la tête pour enlever les arêtes qui en sont les racines. Couper le long du muscle des nageoires pelviennes pour les retirer. Enlever la queue (à la fin, car elle sert de manche utile) en tranchant la chair et la grande arête, juste au-dessus de la nageoire caudale.

POUR DÉSOSSER UN POISSON ENTIER
DANS LE BUT DE LE FARCIR

La tête, la queue et les nageoires sont retirées. Prolonger la fente de l'anus à la queue. Tenir la queue d'une main, insérer le tranchant d'un bon couteau à désosser entre la chair et la grande arête, et séparer la chair des côtes et de la grande arête en pressant sur l'arête pour éviter les pertes. Continuer jusqu'à la queue, en prenant soin de ne pas percer la peau du dos. Ouvrir le poisson comme un papillon.

Quand le dessus de la grande arête est libre, de la tête à la queue, passer le couteau *sous* la grande arête pour la détacher de haut en bas. Lever l'arête et la retirer à l'aide du couteau. Retirer les arêtes ventrales des deux côtés en insérant le couteau en dessous et en les détachant ensemble.

POUR FILETER UN POISSON

Avec un couteau à fileter bien tranchant, couper la peau et la chair le long du milieu du dos, sur un côté de la grande arête, de la queue à la tête. Puis, couper en travers juste à la base de la tête. Tenir le couteau à plat, le long de l'arête et, en commençant à la tête, tailler la chair d'un côté de la queue en laissant le couteau glisser doucement sur les côtes. Prélever le filet. Retourner le poisson et répéter l'opération de l'autre côté. (Voir illustrations p. 63: poisson entier et p. 64: poisson plat). Remarque: Si le poisson n'est pas dépiauté, il faut retirer les écailles, au besoin, avant de fileter.

POUR DÉPIAUTER UN FILET

Placer le filet sur la planche à découper, côté peau en dessous. Tenir fermement le bout de la queue d'une main et, avec l'autre main, séparer la chair de la peau avec le couteau posé à plat et poussé par petits coups rapides.

POUR CUIRE ET DÉVEINER LES CREVETTES

Il est recommandé, pour la cuisson des crevettes (avec ou sans carapace), de faire mijoter l'eau.
1. *Cuisson avec carapace:* Laver les crevettes et les plonger dans l'eau bouillante salée (environ 25 ml [2 c. à soupe] de sel par litre [pinte] d'eau). Porter de nouveau à ébullition, puis réduire la chaleur et laisser *mijoter* les petites crevettes pendant de 3 à 5 minutes, et les grosses, pendant de 5 à 8 minutes. Elles sont cuites quand elles se recourbent et prennent une belle teinte rose ou rouge vif. Égoutter et laisser refroidir. Avec des ciseaux, couper le dessous de la carapace, qui est moins ferme. Éplucher, enlever la veine pierreuse avec la pointe d'un couteau et rincer.
2. *Cuisson sans carapace:* Avec des ciseaux, faire une petite incision le long de la courbe extérieure. Éplucher et retirer la veine pierreuse, tel qu'indiqué ci-dessus. Rincer à l'eau courante et cuire comme ci-dessus ou au court-bouillon.
Remarque: Éviter de trop cuire. Une crevette trop cuite est dure et sèche.

POUR PRÉPARER ET OUVRIR LES HUÎTRES

Avant d'ouvrir une huître, brosser la coquille à l'eau froide courante. Ne jamais laisser les huîtres séjourner dans l'eau douce.

Pour ouvrir: Prendre l'huître en tenant la partie bombée en dessous. Insérer la pointe du couteau à huître entre les écailles, près de la charnière, et les séparer avec un léger mouvement de torsion. Pour protéger la main contre le glissement éventuel du couteau, tenir l'huître dans un linge plié sur lui-même ou porter un gant épais.

En ouvrant l'huître, prendre soin de conserver, autant que possible, l'eau salée et savoureuse. Lorsque l'huître est entrouverte, glisser le couteau entre les écailles et couper le muscle qui les retient. Puis, couper sous l'huître afin de la détacher de l'écaille. Les huîtres sont alors prêtes à servir sur l'écaille.

S'il faut faire cuire les huîtres pour une recette, les faire mijoter dans leur jus, jusqu'à ce que les bords commencent à froncer, de 2 à 4 minutes, selon la taille.

POUR PRÉPARER LE HOMARD

Cuisson: Dans un récipient profond faire bouillir suffisamment d'eau salée pour bien couvrir les homards; ajouter 50 ml (¼ tasse) de sel par gallon d'eau. Saisir le homard derrière la tête et le plonger vivement, tête première, dans l'eau bouillante. Réduire la chaleur et faire mijoter environ 10 minutes pour un homard de 500 g (1 lb). Pour un homard de 1 kg (2 lb), il faudra compter de 15 à 20 minutes. Servir immédiatement ou refroidir rapidement à l'eau courante.

La chair se retire aisément pendant que le homard est encore légèrement chaud. Briser la queue et la retirer, puis enlever les nageoires à l'extrémité de la queue en les recourbant vers l'arrière. À l'aide d'une fourchette, retirer la chair en pressant à l'extrémité étroite. Couper et retirer la veine intestinale foncée. Retirer la carapace du corps en la tirant à partir de la queue. Rejeter le moulinet, petite poche logée derrière la tête, mais garder le foie vert et le corail rouge, car ils font de savoureux hors-d'oeuvre, mélangés à de la mayonnaise et utilisés en tartinade sur des craquelins.

Avec un casse-noix, fendre les grosses pinces dans leur partie la plus large, en pressant suffisamment fort pour briser la carapace, mais sans endommager la chair, qu'on peut alors retirer. Briser les petites pattes et en extraire la chair avec une petite fourchette. Servir avec du beurre fondu et des quartiers de citron, ou utiliser dans une recette de homard.

POUR PRÉPARER LE CRABE

Cuisson: Plonger le crabe vivant dans l'eau bouillante salée. Le récipient doit être assez profond pour que l'eau recouvre complètement le crabe. Utiliser 50 ml (¼ tasse) de sel pour 4,5 litres (1 gallon) d'eau. Couvrir et ramener à ébullition, puis réduire la chaleur et faire mijoter de 10 à 20 minutes selon la taille du crabe. Un crabe dont la carapace mesure 15 cm (6 po) de largeur devrait être cuit en 10 minutes.

Préparation: Retirer le crabe de l'eau et faire refroidir vivement à l'eau froide. Soulever la carapace du dessus et la jeter ou la brosser et la garder pour servir le crabe. Enlever les branchies de chaque côté du dos et les jeter. Retourner le crabe sur le dos et enlever en les brisant les pièces de la bouche et de la queue et râcler les entrailles et les viscères. Rincer complètement à l'eau froide. Fendre la carapace du corps en deux et extraire ou faire tomber la chair. Enlever les pattes en les brisant. Extraire les petites pinces mobiles et le cartilage. Tenir les pattes le côté arrondi en bas, pour éviter d'écraser la chair, et frapper à coups secs avec un petit maillet. Extraire la chair. Rincer les gros morceaux de chair à l'eau salée, égoutter et éponger.

Pour servir le crabe en carapace: Replacer la chair dans la carapace du dessus et la placer sur de la glace pilée. Disposer les pattes décortiquées autour, de façon attrayante.

POUR PRÉPARER MYES, PALOURDES ET MOULES

Brosser les coquilles et bien les laver. Les mettre dans une marmite à vapeur ou dans une passoire *au-dessus* de l'eau qui bout à gros bouillons. Bien couvrir et laisser chauffer à la vapeur jusqu'à ce que les coquilles s'entrouvrent. (Utiliser une marmite de verre: il sera plus facile de voir.) Jeter les coquilles et le muscle.

Les myes et les palourdes peuvent être servies dans l'écaille. Les myes, les palourdes et les moules sont délicieuses avec du beurre fondu. (Illustration p. 128).

POUR PRÉPARER LES PÉTONCLES

Les pétoncles frais peuvent être préparés suivant une recette, par exemple les pétoncles Saint-Jacques. Lorsque la recette demande des pétoncles cuits, on peut les laver à l'eau froide ou les laisser décongeler partiellement, puis faire bouillir de l'eau salée (10 ml [2 c. à thé] de sel par litre [pinte] d'eau) et plonger les pétoncles dans l'eau. Ramener à ébullition, réduire la chaleur et laisser mijoter de 3 à 4 minutes pour les pétoncles frais et de 5 à 8 minutes pour les pétoncles congelés ou partiellement décongelés.

Remarque: Le muscle dur et opaque qui est parfois présent à l'extérieur du pétoncle devrait être retiré avant la cuisson.

POUR PRÉPARER LE CALMAR

Il faut nettoyer et préparer le calmar avant la cuisson. En maintenant le calmar sous l'eau courante, tirer la membrane transparente, tachetée, qui recouvre le manteau et la jeter. Extraire ensuite l'épine dorsale transparente de l'intérieur du manteau et la jeter. Séparer la tête du manteau en tirant doucement, puis rincer et jeter le manteau. Arracher et jeter la poche d'encre et autres membranes qui se détachent facilement. On peut garder la poche d'encre pour faire une sauce. Trancher les bras et les tentacules, juste sous les yeux, puis presser pour extraire le bec cornu d'entre les tentacules. Laver et sécher les parties comestibles. Couper ou utiliser selon les instructions pour la cuisson (voir page 68).

POUR PRÉPARER L'ORMEAU

Pour écailler et préparer l'ormeau vivant, enfoncer un solide coin de bois entre la chair et l'écaille; faire jouer le coin jusqu'à ce que le muscle tombe de la coquille, mais en prenant soin de ne pas briser la poche. Laver la chair à l'eau courante. Découper les parties sombres le long des bords de la chair à l'aide d'un couteau tranchant; ces morceaux sombres peuvent servir dans les chaudrées ou les fritures. Tenir fermement la chair sur une planche et avec un couteau mince et bien tranchant, couper en travers des tranches d'environ 1 cm (⅜ po) d'épaisseur. Marteler chaque tranche avec un maillot de bois jusqu'à ce qu'elle soit molle et veloutée.

CONSERVATION DU POISSON ET DES FRUITS ଚDE MER À DOMICILEଚ

ENTREPOSAGE AU RÉFRIGÉRATEUR ET AU CONGÉLATEUR

Comme le poisson s'altère rapidement, il importe de le servir le plus tôt possible après l'avoir acheté; plus tôt il est consommé, meilleure est sa qualité. Les précautions qui suivent contribuent à maintenir la qualité du poisson conservé à domicile, même pour un temps assez court.

a) Lorsqu'un paquet de poisson frais arrive du marché, retirer l'emballage et essuyer le poisson avec un linge humide, propre. Envelopper le poisson dans un papier ciré, le mettre dans un récipient bien couvert pour prévenir les échanges d'odeurs, et le ranger dans le réfrigérateur. Si le poisson est entier, l'éviscérer immédiatement et le conserver de la même manière pendant au plus deux jours.

b) Les mollusques et les crustacés frais devraient être utilisés le plus rapidement possible pour en obtenir la meilleure qualité. Si le crabe, le homard, les myes ou les moules sont achetés vivants, on peut les garder vivants en les couvrant d'un linge humide ou d'une couche d'algues dans le réfrigérateur ou un autre endroit frais pendant 12 heures. (Ne pas ranger le homard ou le crabe vivant sur de la glace ou dans l'eau douce. Ne pas congeler des huîtres, des myes ou des moules en coquilles.) Les mollusques et les crustacés frais ou cuits se gardent tout au plus 1 ou 2 jours dans le réfrigérateur à 5°C (40°F), à moins d'indication particulière.

c) Le poisson, les mollusques ou les crustacés congelés doivent être conservés tels quels, et on ne doit pas ouvrir le paquet. Il faut une température très basse pour préserver la qualité du poisson congelé. On recommande une température constante de $-23°C (-15°F)$ et, vu qu'il est difficile de maintenir une température aussi basse dans les congélateurs domestiques, on conseille de ne pas garder les provisions de poisson congelé trop longtemps.

Les lignes directrices qui suivent sur le temps de congélation s'appliquent au poisson congelé dans des installations commerciales ou dans des conditions idéales avec entreposage subséquent à basse température constante dans un congélateur domestique (PAS dans le congélateur au-dessus du réfrigérateur). Elles ne tiennent pas compte des variables attribuables aux individus.

TABLEAU DE CONGÉLATION DU POISSON ET DES FRUITS DE MER

PRODUIT	CARACTÉRISTIQUE	DURÉE MAXIMALE D'ENTREPOSAGE˙
Poisson entier	congelé en bloc de glace	jusqu'à 6 mois
Poisson entier	emballé dans le papier de congélation	jusqu'à de 3 à 4 mois
Filets de poisson	congelés commercialement	jusqu'à de 2 à 3 mois
Darnes de poisson	congelés commercialement	jusqu'à de 2 à 3 mois
Huîtres Moules Myes, palourdes Pétoncles	congelés commercialement (décoquillés)	jusqu'à de 3 à 4 mois
Crabe Homard Crevette Calmar	congelés commercialement	jusqu'à de 1 à 2 mois

La qualité du poisson et des mollusques et crustacés congelés commercialement s'altère de plus en plus rapidement avec le temps, surtout si la température fluctue constamment. Après la décongélation, le poisson, les mollusques ou les crustacés doivent être employés sans retard, car ils s'altéreront aussi spontanément que le poisson frais. Il n'est PAS recommandable de recongeler du poisson qui a été décongelé. Cependant, le poisson décongelé peut être cuit et congelé pour une courte période.

La congélation à domicile ne peut égaler la rapidité et les basses températures des installations commerciales. Le poisson, les mollusques et les crustacés ne devraient donc pas être conservés aussi longtemps que l'indique le tableau ci-dessus. Voir le chapitre sur la CONGÉLATION DU POISSON À DOMICILE.

MÉTHODES DE CONSERVATION DU POISSON À DOMICILE

CONGÉLATION DU POISSON À DOMICILE

1. Poisson

Le poisson fraîchement capturé peut être congelé et conservé dans un congélateur domestique. S'il n'est pas possible de le congeler immédiatement, il doit être mis dans la glace et conservé au réfrigérateur pendant au plus 8 heures pour en préserver la qualité.

Le poisson peut être emballé à l'état entier, ainsi que sous forme de filets ou de darnes. Avant l'emballage, il doit être rincé dans une saumure froide (250 ml [1 tasse] de gros sel pour 4½ litres [1 gallon] d'eau froide) pour retarder le rancissement des poissons gras. Pour empêcher l'altération résultant de la dessication ou de l'oxydation, le poisson doit être enveloppé dans une substance à l'épreuve de la vapeur et de l'humidité et soigneusement tassé pour expulser tout l'air. La feuille d'aluminium épaisse, la cellophane à l'épreuve de la vapeur, le «pliofilm», les papiers à congélation en polyéthylène ou laminés sont satisfaisants pour l'emballage du poisson.

Le poisson emballé doit être congelé rapidement à basse température pour conserver sa qualité, puis entreposé à une température constante d'au plus −18°C (0°F) et même plus basse si c'est possible. Le poisson maigre, bien congelé et emballé, se conservera deux ou trois mois. Le poisson gras ne devrait pas être gardé pendant plus d'un ou deux mois si l'on veut en préserver la qualité. Le poisson congelé plus longtemps peut être consommé sans danger, mais perdra sa fraîcheur et peut devenir rance et se détériorer lentement.

2. Mollusques

Les huîtres, les myes, les palourdes et les moules peuvent être mis en pots dans leur eau. Il faut couvrir ces mollusques complètement pour les empêcher de prendre une couleur foncée. Du papier cellophane ou du papier d'aluminium froissé au sommet du pot aideront à les tenir bien couverts. Le calmar et les pétoncles devraient être rincés dans une saumure (même formule que ci-dessus), égouttés et emballés dans des sacs à congélation. Prendre soin d'expulser l'air et de les fermer hermétiquement. Le crabe, la crevette, le homard et le calmar peuvent être congelés, mais ces crustacés ont tendance à durcir et, idéalement, ne devraient pas être conservés plus d'un mois. Emballer le homard, la crevette ou le crabe cuits et refroidis dans des récipients à congélateur, en petites quantités (pouvant être utilisées en une seule fois). Verser suffisamment de saumure pour couvrir la chair: 10 ml (2 c. à thé) de sel pour 250 ml (1 tasse) d'eau. Laisser un vide de 1,25 cm (½ po) sur le dessus. Fermer le couvercle hermétiquement, étiqueter et congeler.

Tous les mollusques et crustacés, comme le poisson, doivent être congelés rapidement à une température aussi basse que possible et conservés à une température constante d'au plus −18°C (0°F) et plus basse si c'est possible.

Mise en conserve du poisson à domicile

DIRECTIONS GÉNÉRALES

ATTENTION: POUR OBTENIR UN PRODUIT SÛR, IL FAUT SUIVRE À LA LETTRE LES INSTRUCTIONS QUI SUIVENT.

Puisque nous n'avons aucun contrôle sur les nombreux facteurs en cause, comme le degré de fraîcheur du poisson ou l'hygiène individuelle, nous nous déchargeons de toute responsabilité en cas de dommage ou de maladie résultant d'une interprétation individuelle de ces règles.

La mise en conserve est largement répandue dans les foyers comme méthode de préservation des surplus de poisson. Les résultats peuvent être délicieux mais, comme le sait quiconque connaît bien la mise en conserve, ils peuvent aussi être dangereux, même MORTELS, si l'on ne prend pas les soins nécessaires. En effet, on rapporte chaque année plusieurs décès attribuables au botulisme, résultant de la consommation de poisson ou d'autres aliments mis en conserve à domicile dans de mauvaises conditions.

Le botulisme, intoxication alimentaire souvent mortelle, résulte de la consommation d'aliments contenant une toxine produite par le microorganisme *Clostridium botulinum*. Celui-ci est le plus dangereux des organismes responsables de la détérioration des aliments et le plus difficile à détruire. Il se développe très bien à la température de la pièce, en l'absence d'air et dans un milieu humide, conditions qui sont toutes réunies dans un récipient de poisson mis en conserve sans les soins appropriés. Bien que la toxine produite par l'organisme *Cl. botulinum* puisse être détruite si elle est soumise à une température de 100°C (212°F) pendant une période relativement courte, la spore elle-même résiste à ce degré de chaleur et doit être soumise à 115,6°C (240°F) ou plus pendant une période prolongée pour être complètement détruite.

Puisque la toxine produite par *Cl. botulinum* peut causer la mort, mais peut être détruite aisément si elle est chauffée à 100°C (212°F), on recommande, avant de goûter aux conserves de poisson préparées à domicile, de les faire chauffer dans une marmite non couverte jusqu'au point d'ébullition et de les laisser bouillir pendant 20 minutes. Si le produit dégage une mauvaise odeur ou s'il se forme de la mousse, il doit être détruit de manière à être hors de portée des humains, comme des animaux.

La mise en conserve pour consommation ultérieure repose sur deux facteurs essentiels: la stérilisation à la chaleur et l'exclusion de l'air du contenant scellé. Fondamentalement, le traitement à la chaleur des conserves de poisson est nécessaire pour:

a) retirer l'air, créant ainsi un vide dans le contenant qui, une fois scellé, gardera les aliments à l'abri de la contamination extérieure pendant l'entreposage; et

b) DÉTRUIRE LES ORGANISMES DE DÉTÉRIORATION, garantis-
sant ainsi des conserves de poisson sûres. On peut parvenir à ce résultat
SEULEMENT en chauffant le récipient dans un AUTOCLAVE PEN-
DANT UN TEMPS DÉFINI ET À UN NIVEAU DE PRESSION DÉ-
FINI.

La mise en conserve du poisson par toute autre méthode, y compris le «bain
d'eau», l'utilisation de la chaleur du four, n'est pas *sûre* et peut entraîner des
intoxications alimentaires graves et même mortelles.

Étant donné les dangers d'intoxication alimentaire que présente la mise en
conserve à domicile, il faut suivre très attentivement les instructions données
dans la présente section.

Pour mettre le poisson en conserve sans danger à domicile, il faut se servir
des articles suivants:

1. Autoclave

   Le marché offre des autoclaves de diverses grandeurs, généralement en
   fonte d'aluminium. Le cuiseur est muni d'un couvercle qui est verrouillé en
   place pour la cuisson à la vapeur. Le couvercle est muni d'un *manomètre*,
   cadran indicateur de la pression en livres par pouce carré et, habituellement, de la température équivalente. Il comprend aussi un *tuyau d'évent
   avec capuchon régulateur de pression amovible*, qui laisse échapper l'air et
   la vapeur de l'autoclave AVANT le début du traitement SANS capuchon
   régulateur et au DÉBUT du traitement AVEC capuchon régulateur, ainsi
   qu'un *évent automatique*, ou *soupape de sûreté*, qui laisse échapper l'excès
   de vapeur quand la pression est trop élevée. Il est conseillé d'utiliser
   un autoclave d'une capacité d'au moins 15 litres, ce qui correspond à
   13,3 pintes impériales ou 16 pintes américaines. On peut y placer 9 pots de
   verre d'une chopine (16 oz/455 ml). On pourra préférer un autoclave plus
   grand pour réduire le travail et les coûts si on veut mettre en conserve une
   grande quantité de poisson.

   Ne pas utiliser de petit autoclave, car ce genre d'appareil est conçu
   uniquement pour la cuisson des aliments libres, sans autre récipient.

   Lire attentivement le manuel d'instructions de l'autoclave pour bien en
   saisir le fonctionnement et connaître les règles d'entretien et d'utilisation
   de l'autoclave, ainsi que la tolérance du manomètre pour le traitement en
   haute altitude; par exemple, il faut ajouter une demi-livre de pression à la
   lecture du manomètre pour 1 000 pieds d'altitude au-dessus du niveau de la
   mer.

   Faire vérifier l'exactitude du manomètre au moins une fois par année.

2. Pots de verre

   Il vaut mieux n'utiliser que des pots d'un demiard ou d'une chopine (8 ou 16 oz/228 ou 455 ml), spécialement conçus pour la mise en conserve à domicile, c'est-à-dire les pots «Mason» à couvercle de métal vissable en deux morceaux, de préférence à côtés droits et à large ouverture. Il faut les inspecter d'abord pour déceler tout défaut, particulièrement sur les bords de verre. Si l'on constate la moindre ébréchure, l vaut mieux laisser ce récipient de côté. Les couvercles de verre ne sont pas à conseiller.

3. Minuterie

   On aura besoin d'un bon réveille-matin ou d'une bonne minuterie de four.

4. Thermomètre

   Un thermomètre fidèle sert à vérifier la température du poisson empoté pendant la précuisson ou l'étuvage.

Remarque: Les boîtes de métal ne sont pas à conseiller pour la mise en conserve à domicile pour les raisons suivantes:

- Il faut les commander spécialement du fabricant, tandis qu'on peut se procurer les pots de verre au supermarché ou dans les quincailleries.
- Il faut un appareil spécial pour le sertissage — c'est un appareil coûteux.
- Il faut des connaissances et une formation particulière pour vérifier la qualité du sertissage et faire les ajustements nécessaires.
- Les boîtes de métal ne sont pas réutilisables.

MISE EN CONSERVE DU SAUMON OU DE LA TRUITE

Avant de procéder, lire les directives générales ci-dessus sur la mise en conserve à domicile.

1. Stériliser les pots: laver soigneusement les pots, les rondelles de caoutchouc et les couvercles dans de l'eau chaude savonneuse et rincer à fond à l'eau très chaude. Plonger les pots dans un récipient d'eau très chaude jusqu'au moment de les utiliser.

2. Préparer le poisson: seul le poisson très frais et de bonne qualité peut être mis en conserve. Si le poisson destiné à être mis en conserve doit être gardé pendant plus de trois heures après la capture, il faut le nettoyer et le mettre dans la glace ou le ranger au réfrigérateur. On doit mettre le poisson fumé en conserve aussitôt qu'il est refroidi, après le fumage, en suivant la même méthode que pour le poisson frais, mais en prolongeant la durée du traitement de 15 minutes.

   Frotter le poisson frais avec un linge et du gros sel pour enlever toute pellicule et toute écaille libre. Retirer les écailles, les nageoires, la tête et la queue et bien nettoyer le poisson. Laver soigneusement.

Il n'est pas nécessaire de retirer la grande arête. Elle s'amollit pendant le traitement, devenant entièrement comestible, et elle contient du calcium et d'autres substances nutritives qui seraient autrement perdues.

3. Tailler le poisson en morceaux qui entrent dans les pots d'un demiard ou d'une chopine que vous utilisez. N'en préparez pas plus que vous ne pouvez en traiter à la fois.

(Remarque: pour le poisson très gros, il est plus facile d'entasser des morceaux de filets que des darnes.)

Tasser fermement les morceaux dans les pots, en ménageant un espace de 1,5 mm (⅟₁₆ po) sous le bord, côté peau sur le verre, en prenant soin de remplir les vides en découpant des morceaux.

4. Salage: Ajouter 5 ml (1 c. à thé) de sel à marinade à chaque pot.

5. Étuvage: Placer les couvercles sur les pots et visser la bande de vissage suffisamment pour qu'on ne puisse l'enlever en tirant. La *fermeture partielle* est nécessaire pour laisser s'échapper l'air pendant l'étuvage. Disposer les pots sur la claie de métal dans le fond de l'autoclave et verser de l'eau chaude autour des pots jusqu'à mi-hauteur. Placer le couvercle de l'autoclave en laissant ouvert le tuyau d'évent (sans mettre le capuchon régulateur). Faire chauffer à feu vif jusqu'à ce que l'eau bouille; il s'échappe alors du tuyau d'évent un flot continu de vapeur. Réduire légèrement la chaleur, mais maintenir l'ébullition (zéro livre de pression) jusqu'à ce que les morceaux de poisson au centre des pots atteignent 77°C (170°F), c'est-à-dire de 10 à 20 minutes. Pour vérifier, il faut ouvrir le couvercle, ouvrir un pot et insérer le thermomètre au centre du pot.

6. Traitement à la vapeur: quand l'étuvage est terminé, retirer l'autoclave du feu. Sortir les pots un à un, les *fermer hermétiquement* (sans forcer) et les remettre dans l'autoclave. L'eau chaude qui reste après l'étuvage devrait suffire pour le traitement. S'il y a lieu, ajouter de l'eau pour couvrir un tiers des pots. Refermer le couvercle en s'assurant qu'il est bien verrouillé et remettre l'autoclave sur le feu. Attendre qu'un flot continu de vapeur s'échappe du tuyau d'évent (encore sans capuchon régulateur), soit environ 10 minutes, puis placer le capuchon pour augmenter la pression à l'intérieur de l'autoclave. Laisser la pression atteindre 10½ livres, soit 115,6°C (240°F) avant de mettre la minuterie en marche. *Les 10½ livres de pression doivent être maintenues constamment pendant 1 heure 50 minutes.*

Si la pression baisse à moins de 10½ livres pendant le traitement, il faut la ramener à ce niveau et remettre la minuterie en marche comme si l'on commençait le traitement. De toute évidence, si la chose se produit, le poisson sera trop cuit. Il importe donc de surveiller la pression attentivement pendant toute la durée du traitement.

7. Refroidissement: À la fin du traitement, fermer la source de chaleur. *Ne pas* tenter de retirer le couvercle avant que la pression soit redescendue à

zéro. Retirer doucement les pots et les laisser refroidir à la température ambiante.

8. Vérifier la fermeture: Quand les pots sont refroidis, les couvercles de métal seront fermés hermétiquement, devenant concaves, ce qui est signe de l'existence d'un vide et indique que les pots sont bien scellés. Si le couvercle n'est pas concave, presser le centre avec le pouce:

— S'il rebondit, il est mal scellé et le pot ne doit pas être entreposé (le contenu du pot peut être réfrigéré et utilisé de la même façon que n'importe quel produit du poisson cuit, c'est-à-dire consommé en un ou deux jours).

— Si le couvercle demeure concave, il est bien scellé, mais il vaut mieux vérifier en enlevant la pièce vissée du couvercle et en soulevant le pot de quelques pouces en le maintenant par les bords du couvercle de métal. Si le scellement est faible, il ne résistera pas au poids du pot, celui-ci retombant sur la surface de travail en laissant le couvercle derrière lui. Dans ce cas, réfrigérer le contenu du pot (comme ci-dessus); si le couvercle tient bon, replacer la pièce vissée et entreposer les pots pour consommation ultérieure.

9. Entreposage: Les pots doivent être entreposés dans un endroit frais (0° à 10°C [32° à 50°F]) et sombre jusqu'à l'utilisation. La durée d'entreposage peut aller jusqu'à un an.

MISE EN CONSERVE DU THON

Avant de procéder, lire les directives générales sur la mise en conserve à domicile. Le thon, comme le saumon et la truite, doit être mis en conserve sous pression à l'autoclave de façon à détruire les bactéries et en assurer la sûreté du produit.

Le thon FRAIS ou CONGELÉ peut être mis en conserve, mais le processus exige beaucoup plus de temps et d'effort, car le thon DOIT être cuit avant la mise en conserve. S'il est congelé, il DOIT être entièrement décongelé au réfrigérateur avant le traitement; autrement, la température pourrait en être modifiée et être insuffisante pour garantir un produit sûr.

Bien laver le poisson; retirer les entrailles, laver et laisser s'écouler le sang de la cavité abdominale.

Placer le poisson, cavité éviscérée en dessous, sur une claie de métal ou un support perforé, et placer dans l'autoclave. Le poisson ne devrait pas être déposé sur le fond et doit être élevé au-dessus du niveau d'eau.

FAIRE CUIRE à de 100 à 102°C (212 à 216°F) pendant de 2 à 3½ heures, selon le poids du thon. Un thon de 5 kg (11 lb) prendra environ deux heures. Cette précuisson a pour objet de retirer les huiles amères présentes dans le thon.

Laisser refroidir le poisson pendant deux heures à la température ambiante, puis réfrigérer à moins de 0°C (32°F) pendant de 12 à 24 heures.

Retirer la peau avec un couteau et gratter légèrement la surface pour extraire tous les petits vaisseaux sanguins. Diviser en deux, du dos au ventre. Retirer la grande arête. Séparer ces moitiés en quarts. Retirer et couper toutes les arêtes et la base des nageoires. Gratter et couper la chair foncée et ne laisser que quatre sections bien propres de chair blanche.

Couper les sections en travers en morceaux qui entrent dans les pots — pots d'un demiard (les pots d'une chopine ou plus sont déconseillés). Ménager un espace de 2,5 cm (1 po) à l'ouverture et tasser la chair doucement mais fermement.

Ajouter à chaque pot 2 ml (½ c. à thé) de sel et 50 ml (4 c. à soupe) d'huile végétale. Placer les pots dans l'eau dans l'autoclave et étuver pendant de 10 à 12 minutes OU jusqu'à ce que la vapeur se dégage librement du poisson. Retirer tout le gras qui se serait accumulé dans les pots et sur les couvercles et sceller selon les instructions du fabricant.

Traiter immédiatement à l'autoclave les pots d'un demiard à 10 lb (116°C ou 240°F) de pression pendant 110 minutes. Laisser descendre la pression quand le traitement est terminé. Laisser refroidir les pots à l'air. Vérifier le sertissage quand les pots sont refroidis.

ENTREPOSAGE: Envelopper les pots d'un demiard dans un papier brun ou placer dans des boîtes pour éviter le plus possible l'exposition à la lumière, car celle-ci peut favoriser le rancissement.

FUMAGE DU POISSON À DOMICILE

Les Indiens ont recours à cette méthode de préservation du poisson depuis des centaines d'années et nombre des techniques utilisées sont les mêmes depuis des générations. Le goût inhabituel mais savoureux qu'il confère au poisson fait du fumage une méthode de plus en plus répandue pour la préparation du poisson. S'il est bien fait, il est peu coûteux et le produit qui en résulte est de très bonne qualité et très attrayant à la vue et au goût. Bien que le produit préservé par fumage se garde moins longtemps que le produit salé, il est beaucoup plus appétissant. L'efficacité du fumage dépend de l'action déshydratante du feu qui couve sous la cendre. Le feu de bois a peu ou point de qualités de préservation; il ne sert que d'agent aromatisant ou colorant.

Ici encore, il faut mentionner les dangers de l'intoxication par le botulisme. L'organisme *Clostridium botulinum* peut survivre et se développer à des températures supérieures à 3°C (37,5°F) en l'absence d'air. Il faut donc éviter ces conditions en entreposant le poisson fumé à 3°C (37,5°F) ou moins et en ne l'emballant jamais sous vide. Enfin, ne jamais omettre le salage, car le sel dans la chair a tendance à inhiber la croissance de cet organisme.

Selon les espèces, le poisson peut être fumé entier, éviscéré, fendu, étêté ou en morceaux, avec ou sans la peau.

Il y a deux méthodes de fumage de base: le fumage à chaud et le fumage à froid. Dans le cas du fumage à chaud ou du fumage par cuisson à la fumée, le poisson, après une période de séchage, est d'abord exposé à la fumée à des températures relativement basses pour acquérir un bon goût de fumée, la température étant élevée vers la fin du processus pour cuire le poisson, ce qui donne un produit prêt à consommer. Lors du fumage à froid, le poisson est fumé à basse température pendant une période relativement longue, mais il n'est pas cuit. Selon le type de produit, il peut être consommé tel quel ou il doit être cuit avant consommation.

Parmi les facteurs qui détermineront le choix du fumage à chaud ou à froid, citons: le genre de produit désiré, l'espèce du poisson, la forme dans laquelle il a préalablement été traité et le matériel de fumage dont on dispose.

FUMAGE À CHAUD OU FUMAGE AVEC CUISSON

Les deux méthodes qui suivent sont conçues pour le petit fumoir-cuiseur portatif. On peut aussi utiliser d'autres genres de four, mais le réglage de la température, de même que le temps de fumage, seront différents.

Ces méthodes sont valables pour presque toutes les espèces: saumon, truite, alose, maquereau, hareng, corégone, cisco, morue charbonnière, etc.

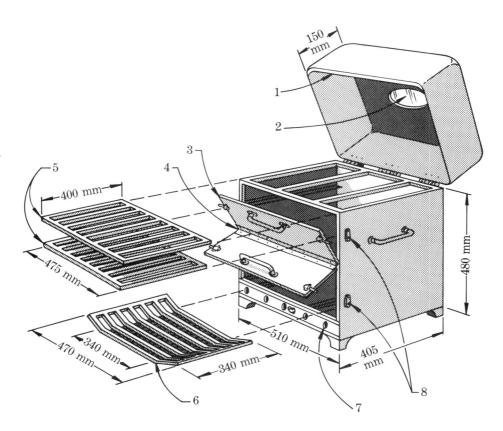

FUMOIR À POISSON PORTATIF

La partie servant à la cuisson est construite de feuilles de métal d'aluminium, jauge 16, attachée à un cadre de métal angulaire de 12 mm sur 12 mm sur 3 mm (½″ sur ½″ sur ⅛″)

1. *Bordure* de levage de 25 mm (1 po)
2. *Volet* d'aération coulissant de 100 mm (4 po) pour régler la densité de la fumée et la température
3. La *porte* s'ouvre à l'horizontale pour permettre de transformer le fumoir en barbe-cue classique, en utilisant un des appuie-grille du bas.
4. *Penture*
5. *Grilles de cuisson:* 475 mm × 340 mm (18¼ × 15¾ po)
6. *Support des braises* [barre plate — 470 mm × 340 mm (18½ × 13½ po)]
7. *Volet d'aération* permettant de régler la vitesse de combustion
8. *Loquets de fixation* des portes avant

TABLEAUX DE LA DURÉE DU FUMAGE À CHAUD

MÉTHODE 1 (poisson habillé)			
Échelle de poids (grammes [livres])	Durée du saumurage* (minutes)	Durée du séchage (minutes)	Durée du fumage* (heures)
112 - 340 g (¼ - ¾)	15 - 20	60 - 90	1 - 1½
340 - 562 (¾ - 1¼)	25 - 40	60 - 90	1½ - 2
562 - 900 (1¼ - 2)	40 - 60	60 - 90	2 - 2⅔
900 - 1575 (2 - 3½)	60 - 90	60 - 90	2¾ - 4

MÉTHODE 2 (filets)				
Échelle de poids (grammes [livres])	Durée du salage* (minutes)	Durée du marinage (minutes)	Durée du séchage (minutes)	Durée du fumage* (heures)
112 - 225 (¼ - ½)	20	30	30 - 60	1 - 1½
225 - 340 (½ - ¾)	30	30	30 - 60	1½
340 - 450 (¾ - 1)	40	30	30 - 60	1½ - 2

* Ces mesures ne sont proposées qu'à titre de guide et peuvent être ajustées pour répondre aux goûts personnels.

MÉTHODE 1 (POISSON PRÉPARÉ)

1. Préparer une saumure à l'avance en ajoutant à 4,5 litres (1 gal imp) d'eau 1 kg (4 tasses) de sel à marinade (ne pas utiliser le sel de table iodé) et mélanger jusqu'à dissolution complète. Cette quantité devrait suffire pour environ 4,5 kg (10 lb) de poisson nettoyé, habillé et écaillé (voir préparation, page 61). Retirer les nageoires dorsales et anales en insérant la pointe du couteau de chaque côté des nageoires et en tirant. On peut retirer les autres nageoires en les tranchant ou en les coupant à l'aide de ciseaux de cuisine.

    Pour favoriser la pénétration du sel et de la saveur de fumée, surtout quand il s'agit de gros poissons, pratiquer en surface des incisions d'environ 3 à 5 mm (⅛ à ¼ po) de profondeur des deux côtés du poisson et une autre, de la même profondeur environ, au centre du dos.

2. Saumurage: Immerger le poisson apprêté dans la saumure*. Après l'immersion, retirer le poisson et le vaporiser d'eau fraîche, brièvement, pour enlever le sel en surface.

3. Séchage: Déposer le poisson sur une grille dans un endroit frais, ombragé et grillagé, de préférence exposé à une brise légère, pendant une heure à une heure et demie environ, pour permettre le séchage en surface. (Pendant le saumurage, le sel est absorbé par la chair, ce qui lui confère évidemment de la saveur, mais il a aussi tendance à faire gonfler les protéines. Il fait aussi se dissoudre les protéines dans la saumure, ce qui

laisse une substance légèrement visqueuse à la surface du poisson, particulièrement là où la chair a été coupée. Pendant le séchage, la substance visqueuse de protéines forme une couche luisante, ou pellicule, qui prend une coloration attrayante lors du fumage.)

4. Fumage à chaud: Tandis que le poisson sèche, retirer les grilles du fumoir et préparer un feu sur le support destiné à cette fin, comme suit: déposer une petite quantité de briquettes de charbon de bois, saturer de liquide d'allumage et allumer. Quand le feu est bien pris (les briquettes sont couvertes de cendres grises), déposer dessus une couche de copeaux de bois humides, de bran de scie ou de brindilles et de morceaux d'écorce, de façon à produire une fumée dense. La densité de la fumée ou de la flamme peut être réglée au moyen d'un vaporisateur d'eau. La vitesse de combustion et la température du fumoir peuvent être déterminées par le réglage du volet d'aération coulissant de la base et du volet d'aération du couvercle.

   Après le séchage, le poisson est placé sur des grilles propres et froides enduites au préalable d'une couche d'huile végétale à vaporiser pour empêcher les aliments de coller. Les grilles sont placées en surface dans le fumoir, à la plus haute position des glissières à grilles inférieures, et le couvercle est fermé. Pour la durée du fumage, voir le tableau 1. Le temps peut varier selon le réglage de la vitesse de combustion. Pendant la première période de fumage, il faut maintenir une haute densité de fumée et une température relativement basse. On peut y arriver en réglant le volet d'aération coulissant de la base en position presque fermée et le volet d'aération du couvercle en position ouverte. Pendant la dernière partie du fumage, il faut augmenter la température de surface en ouvrant le volet d'aération coulissant de la base et en refermant presque le volet du couvercle pour permettre au poisson de bien cuire. En outre, pendant la dernière partie du fumage, il faut retourner le poisson sur les grilles et échanger la position des grilles.

5. On peut entreposer le poisson dans le réfrigérateur pendant 2 ou 3 jours. Si on doit le garder plus longtemps, il faut envelopper le poisson individuellement dans un papier approprié et le congeler; il se garde de 3 à 4 semaines.

6. Le poisson ainsi préparé est délicieux s'il est servi immédiatement après le fumage ou servi frais avec une salade.

MÉTHODE 2 (FILETS)

Avec cette méthode, le saumurage est remplacé par un salage à sec suivi d'une période de marinage avant le séchage et le fumage.

Utiliser des *filets* (voir préparation, page 63) qui ont été écaillés, mais *non* dépiautés.

1. Salage: Utiliser 135 g (½ tasse) de sel fin de première qualité (ne pas utiliser de sel de table iodé) pour 2,25 kg (5 lb) de filets.

   Placer les filets, peau en dessous, sur une surface propre qu'on aura saupoudrée uniformément au préalable avec le quart du sel. Appliquer le reste du sel à la surface de la chair, l'épaisseur de l'enrobage étant proportionnel à l'épaisseur des filets. Laisser les filets absorber le sel pendant le temps indiqué au tableau 1.

   Rinçage: Retirer le sel de surface des deux côtés du filet en vaporisant d'eau délicatement.

2. Marinade: Mettre les ingrédients suivants dans un pot de 500 ml (16 oz) à couvercle vissable:

   375 ml (1½ tasse) de sauce soya
   75 ml (6 c. à soupe) de sherry sec
   25 ml (2 c. à soupe) d'huile de sésame
   10 ml (2 c. à thé) de sucre
   5 ml (1 c. à thé) de poudre de gingembre

   Fermer hermétiquement et agiter pour bien mélanger.

   Placer les filets salés, rincés, dans un récipient juste assez grand pour les contenir, mais avec suffisamment d'espace libre pour que les filets soient entourés de marinade (un sac de plastique est excellent à cette fin, car on peut aisément tenir à l'écart l'air et, si le poisson est préparé à l'extérieur, les insectes, en fermant le sac avec une attache métallique; en outre, les filets seront bien immergés dans la marinade en tout temps). Verser la marinade sur les filets, couvrir et réfrigérer ou placer dans un endroit frais et ombragé (tableau 1).

3. Séchage: Retirer les filets de la marinade, les égoutter brièvement pour retirer l'excédent de marinade et les placer sur une grille dans un endroit frais, ombragé et grillagé, pour le séchage comme à la méthode 1.

4. Fumage à chaud: Après le séchage, placer les filets, peau en dessous, sur les grilles de cuisson propres et fraîches qu'on a enduites au préalable d'une couche d'huile végétale à vaporiser et fumer selon la méthode 1. Pour la durée du fumage, voir le tableau 1.

5. Entreposage: Les filets fumés peuvent se conserver au réfrigérateur de 2 à 3 jours. Si on désire les conserver plus longtemps, on les enveloppe individuellement pour les congeler. Se conserve de 2 à 3 semaines.

6. Peut être servi immédiatement, après fumage, ou refroidi avec une salade.

FUMAGE À FROID

Il y a deux méthodes fondamentales de fumage à froid. L'une donne un produit qu'il faut faire cuire avant de le consommer, tandis que l'autre, qui est plus longue, donne un produit plus salé et plus sec, mais qui peut être consommé sans cuisson.

Le fumoir* à froid est conçu de façon que l'élément producteur de fumée soit placé à l'écart de la chambre de fumée où est placé le poisson. Ainsi la fumée a le temps de refroidir avant d'entrer dans la chambre. L'humidité relative, facteur important dans le contrôle de la teneur en humidité du poisson, peut être déterminé par le réglage de la quantité d'air qui entre par le volet d'aération, en D, à la figure 40. Idéalement, on devrait maintenir un niveau d'humidité relative de l'ordre de 60 à 70 pour cent pendant le fumage. Cependant, en l'absence d'instrument de mesure de l'humidité relative, l'opérateur pourra juger, d'après son expérience et sa connaissance des divers fumoirs, des réglages appropriés pour limiter l'entrée de l'air. À noter que la quantité de poisson dans un fumoir représente une grande proportion d'eau (si l'on tient compte du fait que la plupart des poissons contiennent 80 pour cent d'humidité).

Ainsi, au début du fumage, le registre devrait être complètement ouvert pour favoriser l'entrée d'air et donc la déshydratation et la réduction d'humidité. Ultérieurement, le registre peut être partiellement fermé pour maintenir une humidité relative suffisamment élevée pour favoriser la formation et le maintien de la pellicule de surface, sans dessèchement et, aussi, pour faciliter l'absorption de la saveur de fumée. S'il devient nécessaire de forcer la tire pour accélérer la déshydratation et la réduction de l'humidité pendant les premières étapes du fumage (les conditions météorologiques au moment du fumage seront la facteur déterminant dans ce cas), on peut installer un éventail en B, comme à la figure 41.

Enfin, si l'on fabrique un fumoir au moyen de matériaux divers, par exemple en se servant d'un vieux réfrigérateur comme chambre de fumage, ou d'un baril de bois ou de métal, il ne faut pas oublier que la source de fumée doit être placée à l'écart de la chambre pour maintenir une basse température. En effet, la température pour le fumage à froid devrait être d'environ 30°C (85°F) et ne devrait pas dépasser 32°C (90°F).

* Voir le diagramme, pages 90-91.

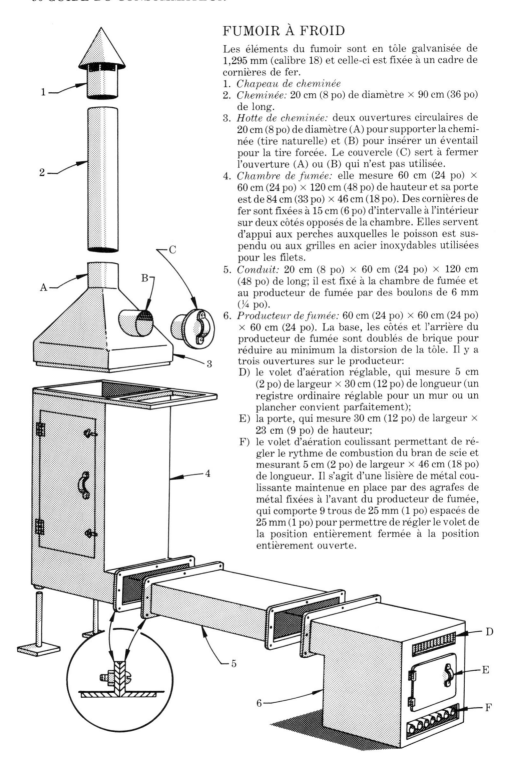

FUMOIR À FROID

Les éléments du fumoir sont en tôle galvanisée de 1,295 mm (calibre 18) et celle-ci est fixée à un cadre de cornières de fer.

1. *Chapeau de cheminée*
2. *Cheminée:* 20 cm (8 po) de diamètre × 90 cm (36 po) de long.
3. *Hotte de cheminée:* deux ouvertures circulaires de 20 cm (8 po) de diamètre (A) pour supporter la cheminée (tire naturelle) et (B) pour insérer un éventail pour la tire forcée. Le couvercle (C) sert à fermer l'ouverture (A) ou (B) qui n'est pas utilisée.
4. *Chambre de fumée:* elle mesure 60 cm (24 po) × 60 cm (24 po) × 120 cm (48 po) de hauteur et sa porte est de 84 cm (33 po) × 46 cm (18 po). Des cornières de fer sont fixées à 15 cm (6 po) d'intervalle à l'intérieur sur deux côtés opposés de la chambre. Elles servent d'appui aux perches auxquelles le poisson est suspendu ou aux grilles en acier inoxydables utilisées pour les filets.
5. *Conduit:* 20 cm (8 po) × 60 cm (24 po) × 120 cm (48 po) de long; il est fixé à la chambre de fumée et au producteur de fumée par des boulons de 6 mm (¼ po).
6. *Producteur de fumée:* 60 cm (24 po) × 60 cm (24 po) × 60 cm (24 po). La base, les côtés et l'arrière du producteur de fumée sont doublés de brique pour réduire au minimum la distorsion de la tôle. Il y a trois ouvertures sur le producteur:
   D) le volet d'aération réglable, qui mesure 5 cm (2 po) de largeur × 30 cm (12 po) de longueur (un registre ordinaire réglable pour un mur ou un plancher convient parfaitement);
   E) la porte, qui mesure 30 cm (12 po) de largeur × 23 cm (9 po) de hauteur;
   F) le volet d'aération coulissant permettant de régler le rythme de combustion du bran de scie et mesurant 5 cm (2 po) de largeur × 46 cm (18 po) de longueur. Il s'agit d'une lisière de métal coulissante maintenue en place par des agrafes de métal fixées à l'avant du producteur de fumée, qui comporte 9 trous de 25 mm (1 po) espacés de 25 mm (1 po) pour permettre de régler le volet de la position entièrement fermée à la position entièrement ouverte.

FUMOIR À FROID

Pour faire de la fumée, empiler du bran de scie dans le producteur de fumée, tel qu'indiqué en A. Ouvrir le registre en B et allumer le bord du tas de bran de scie, avec du papier ou des sciures de bois (C). Quand le bran de scie commence à faire de la fumée, ouvrir le registre D pour laisser l'air frais se mélanger à la fumée dans le conduit, en E. Le registre, en B, est presque fermé pour régler la vitesse de combustion du bran de scie et assurer une densité de fumée suffisante. Le poisson est placé dans la chambre de fumée, en F, soit suspendu par des crochets d'acier inoxydable, soit disposé sur des grilles d'acier inoxydable. Vérifier périodiquement s'il y a suffisamment de bran de scie et si la fumée s'échappe encore en G.

TABLEAU 2
TABLEAUX DE LA DURÉE DU FUMAGE À FROID

MÉTHODE 1 (poisson habillé)				
Échelle de poids (grammes [livres])	Durée du saumurage* (minutes)	Durée du séchage (minutes)	Durée du fumage* (heures)	Température de fumage (degrés Celsius [Farenheit])
112 - 340 (¼ - ¾)	20 - 40	60 - 90	4½ - 5½	30° - 32° (85° - 90°)
340 - 562 (¾ - 1¼)	40 - 60	60 - 90	5½ - 6	30° - 32° (85° - 90°)
562 - 900 (1¼ - 2)	60 - 90	60 - 90	6	30° - 32° (85° - 90°)
MÉTHODE 2 (filets)				
Échelle de poids (grammes [livres])	Durée du salage à sec* (heures)	Durée du séchage (heures)	Durée du fumage* (heures)	Température de fumage (degrés Celsius [Farenheit])
675 - 900 (1½ - 2)	4 - 5	6 - 8	6 - 8	26,5° - 29,5° (80° - 85°)
900 - 1350 (2 - 3)	5 - 7	8 - 12	8	26,5° - 29,5° (80° - 85°)
1350 - 2250 (3 - 5)	7 - 9	8 - 12	8	26,5° - 29,5° (80° - 85°)

* Ces mesures ne sont proposées qu'à titre de guide et peuvent être modifiées au goût.

MÉTHODE 1 (CUISSON NÉCESSAIRE AVANT CONSOMMATION DU PRODUIT)

Espèces appropriées: saumon, alose, hareng, maquereau, corégone, laquaiche aux yeux d'or, cisco, touladi, truite arc-en-ciel, grand brochet et barbotte.

1. *Préparation:* Retirer les nageoires dorsales et anales en insérant la pointe d'un couteau de chaque côté des nageoires et en tirant. On peut couper les autres nageoires, avec un couteau ou des ciseaux de cuisine. On peut laisser la tête car, chez certaines espèces, c'est la partie la plus forte par laquelle on peut suspendre le poisson pendant le fumage.

2. *Salage:* Préparer d'avance une saumure: à 4,5 litres (1 gal imp) d'eau, ajouter 1 kg (4 tasses) de sel à marinade (ne pas utiliser de sel de table iodé) et brasser jusqu'à dissolution complète. Utiliser 4,5 litres (1 gallon) de saumure pour 4,5 kg (10 lb) de poisson nettoyé, habillé et écaillé (voir préparation, page 61).

   Plonger le poisson dans la saumure (tableau 2). Après le saumurage, retirer le poisson, le rincer à l'eau brièvement en vaporisant délicatement pour retirer le sel en surface.

3. *Séchage:* Placer le poisson sur une grille de métal dans un endroit frais, ombragé et grillagé, préférablement exposé à une brise légère, pendant une heure à une heure et demie pour favoriser le séchage en surface. Aussi, si le fumoir est muni d'un éventail pour forcer la tire, on peut

suspendre le poisson dans la chambre à fumer et procéder au séchage de surface en faisant tourner l'éventail, tandis que le volet d'aération est ouvert, comme en D.

4. *Fumage:* Introduire des crochets d'acier inoxydable dans la queue ou la tête de chaque poisson et les suspendre dans la chambre de fumage.

   Préparer un feu dans l'élément producteur de fumée, tel qu'illustré. Régler le volet d'aération en D à la position ouverte et commencer le fumage. Voir le tableau 2 pour la durée du fumage.

5. *À la fin du fumage:* Le poisson doit être refroidi à la température du réfrigérateur avant la cuisson, ou enveloppé séparément dans du papier ciré et congelé pour usage ultérieur.

6. *Pour servir:* Procéder de la façon suivante:
   - si le poisson est congelé, faire décongeler pendant la nuit à la température du réfrigérateur;
   - faire une incision le long du milieu du dos, de 5 mm (¼ po) de profondeur avec la pointe d'un couteau;
   - envelopper les poissons séparément dans du papier d'aluminium et cuire de 25 à 35 minutes au four à 204°C (400°F).

MÉTHODE 2: FILETS (LE PRODUIT NE REQUIERT PAS DE CUISSON AVANT LA CONSOMMATION)

Cette méthode de fumage à froid est généralement utilisée pour les filets de saumon, mais elle donne aussi d'excellents résultats avec le touladi, l'omble et l'inconnu, qui sont des espèces relativement grasses. Il faut que les filets soient raisonnablement grands, généralement 675 g (1½ lb) ou plus.

S'ils doivent être suspendus dans le fumoir, il faut en retirer la tête de façon que la vertèbre du cou reste intacte sur le filet. On peut alors suspendre le filet par cette vertèbre en introduisant, dans chaque filet, trois ou quatre crochets sous la vertèbre.

On peut aussi disposer les filets, côté peau en dessous, sur des grilles d'acier inoxydable qui ont d'abord été enduites d'une couche d'huile végétale à vaporiser (puisque les filets sont fumés à froid, le problème de la cuisson des filets et de leur adhérence aux grilles que crée le fumage à chaud, ne devrait pas se poser; on devrait même pouvoir simplement badigeonner les grilles d'huile végétale et retirer aisément les filets après traitement).

Si l'on utilise cette façon de procéder, on peut retirer la vertèbre du cou du filet ou on peut laisser les côtes pendant la préparation initiale des filets. Ces arêtes sont parfois laissées en place lors du traitement commercial pour limiter l'ouverture de coupures dans la surface de la chair lorsque les segments musculaires se séparent, ce qui nuit à l'apparence finale du produit. Cependant, ce phénomène ne devrait pas se produire si le poisson, à l'origine, était de première qualité. Enfin, la peau doit être tailladée avec la pointe d'un couteau dans la partie la plus épaisse du filet, pour favoriser une pénétration uniforme du sel.

1. *Salage:* Utiliser environ 350 g de sel (1⅓ tasse) pour 4,5 kg (10 lb) de filets (on peut utiliser un peu moins ou un peu plus de sel, au goût). On peut aussi ajouter au sel du sucre ou de la cassonade, du poivre blanc ou des clous de girofle moulus. Bien mélanger avec le sel avant l'utilisation. Étaler les filets, côté peau en dessous sur une surface propre et sèche qu'on aura d'abord saupoudrée uniformément d'environ la moitié du sel ou du mélange de sel et d'autres ingrédients. Appliquer le reste à la surface de la chair, l'épaisseur et l'enrobage étant proportionnels à l'épaisseur des filets. Laisser saler pendant le temps indiqué au tableau 2. Après le salage, rincer les filets en les vaporisant d'eau délicatement pour enlever le sel en surface.

2. *Séchage:* Cette méthode exige beaucoup plus de temps pour le séchage que les méthodes précédentes. Puisque le produit final sera consommé sans cuisson, il faut réduire la teneur en humidité suffisamment pour obtenir une texture ferme du muscle. La déshydratation est aussi plus longue parce que la teneur en gras relativement élevée ralentit le déplacement de l'humidité vers la surface de la chair.

   Disposer les filets sur des grilles de métal ou les suspendre par l'arête du cou et les placer dans la chambre de fumage. Ici encore, si le fumoir est muni d'un éventail pour forcer la tire, on peut sécher en faisant tourner l'éventail pendant que le volet d'aération est ouvert en D (figure 40). Idéalement, l'humidité relative de l'air de séchage devrait être entre 60 et 70 pour cent et la température, entre 18 et 24°C (65 et 75°F). Si l'humidité relative est bien inférieure à 60 pour cent, le séchage de surface sera trop rapide, empêchant l'humidité de s'échapper; par contre, si elle dépasse 70 pour cent, le séchage sera trop lent. Les filets sont séchés comme cela est indiqué ou dans un endroit ouvert mais grillagé, jusqu'à ce que la perte de poids atteigne 10 pour cent. Le temps requis ne dépend pas seulement de l'humidité relative de l'air de séchage, mais aussi du volume d'air qui passe au-dessus des filets et de la taille des filets. Obtenir la perte de poids requise pourrait demander jusqu'à 12 heures de séchage et même plus.

3. *Fumage à froid:* On doit commencer le fumage dès que le séchage est terminé, en procédant de la même façon que pour la méthode 1. La durée du fumage dépendra de l'intensité de saveur désirée, mais sera d'au moins huit heures.

4. *Entreposage:* Après le fumage, les filets sont refroidis à la température du réfrigérateur avant la consommation, ou enveloppés dans du papier ciré et congelés pour usage ultérieur, s'ils doivent être consommés dans les 7 ou 10 jours. Sinon, on les enveloppe individuellement pour les faire congeler. Se conservent de 3 à 4 semaines.

5. *Pour servir:* Le saumon ainsi fumé est désigné sous le nom de «lox». C'est un produit très riche qui doit être tranché mince, contre le grain et servi, traditionnellement avec du fromage en crème, du pain de seigle ou pumpernickel, des câpres et un quartier de citron.

HARENG SAUMURÉ À DOMICILE

Fendre le hareng dans le sens de la longueur en tranchant les côtés d'un côté de la grande arête avec un bon couteau.

Figure 1

Trancher les arêtes, mais pas la peau, et presser les côtés pour ouvrir à la «kipper».

Figure 2

MÉTHODE 1: HARENG SAUMURÉ (DURÉE DE CONSERVATION LIMITÉE SEULEMENT)

a) N'utiliser que du hareng frais — aussitôt que possible après la capture. Écailler, étêter et éviscérer. Nettoyer à fond et bien rincer à l'eau froide. Bien enlever toute trace de sang.

b) Fendre le hareng dans le sens de la longueur en tranchant les côtes d'un côté de la grande arête avec un bon couteau à dépecer ou à désosser (figure 1). Trancher les arêtes, mais pas la peau; presser les côtés pour ouvrir à la «kipper» (figure 2).

c) Saumure — quantité suffisante pour 12 harengs. Mettre le hareng dans une saumure préparée dans une proportion de 315 ml (1¼ tasse) de sel à saumure par litre (1 pinte) d'eau. Réfrigérer pendant le saumurage. Utiliser des poids pour maintenir le hareng immergé dans la saumure pendant six jours. Retirer de la saumure et faire tremper dans l'eau douce froide pendant de 20 à 30 minutes. Puis, fileter le poisson avec un bon couteau et suivre la recette.

d) Si les filets sont grands, les couper dans le sens de la longueur. Les disposer dans des pots avec l'assaisonnement suivant:

pour 12 harengs: 2 oignons moyens — tranchés mince

5 ml (1 c. à thé) de clous de girofle entiers

6 feuilles de laurier

e) i) Préparer une marinade en respectant les proportions suivantes:

185 ml (¾ tasse) de vinaigre blanc

125 ml (¼ tasse) d'eau

15 ml (1½ c. à table) de sucre

ii) Verser dans les pots une quantité suffisante pour couvrir les filets.

f) Couvrir les pots et les ranger au réfrigérateur pendant de 4 à 6 jours pour permettre à l'assaisonnement de bien pénétrer.

g) Puisque le produit n'est soumis à aucun autre traitement, il doit être *gardé au réfrigérateur constamment*. Ne pas conserver pendant plus de *trois* semaines.

REMARQUE: Cette méthode s'applique au hareng frais. Si on utilise du hareng SALÉ (saumuré), il faut le faire tremper dans de l'eau douce pendant une nuit, puis l'écailler, le nettoyer et le fileter. Reprendre ensuite à l'étape d).

MÉTHODE 2: HARENG MARINÉ (LONGUE CONSERVATION) PRODUIT CUIT ET MIS EN CONSERVE SOUS PRESSION

N'utiliser que du hareng frais. Écailler, étêter et retirer les nageoires; nettoyer à fond et bien laver le poisson, mais ne pas retirer la grande arête. Détailler le poisson en morceaux selon la grosseur des pots et faire tremper dans une saumure de 250 ml (1 tasse) de sel à marinade pour 4½ litres (1 gallon) d'eau pendant une heure. Laisser égoutter le poisson pendant dix minutes. Disposer sans trop serrer dans des pots d'un demiard ou d'une chopine (228 ou 455 ml). Remplir les pots de vinaigre de conserve à puissance réduite de moitié (diluer dans une proportion de 50-50 du vinaigre de conserve pleine puissance avec de l'eau). (Voir la recette ci-dessous.)

Placer les pots dans de l'eau froide jusqu'à 5 cm (2 pouces) des bords et amener à ébullition. Laisser bouillir 20 minutes. Renverser les pots sur une grille et bien égoutter.

Placer une tranche d'oignon cru, une feuille de laurier, un peu d'épices à marinade et suffisamment de vinaigre de conserve pleine puissance, *frais*, pour couvrir le poisson dans chaque pot. Sceller selon le genre de pot utilisé. Traiter à l'autoclave, en suivant *soigneusement* les instructions de l'autoclave, à 10 lb de pression (116°C - 24°F) pendant 90 minutes.

VINAIGRE DE CONSERVE PLEINE PUISSANCE

2 litres (2 pintes) de vinaigre blanc distillé
1 litre (1 pinte) d'eau
50 ml (4 c. à soupe) de sucre
1 ml (¼ oz) de grains de poivre entiers
1 ml (¼ oz) de graines de moutarde
1 ml (¼ oz) de clous entiers
0,5 ml (⅛ oz) de graines de cardamome éclatées
0,5 ml (⅛ oz) de gingembre entier
0,5 ml (⅛ oz) de feuilles de laurier

Ajouter le sucre et l'eau au vinaigre, puis les épices rassemblées dans un petit sac d'étamine. Laisser mijoter une heure. Couler et utiliser le liquide clair.

Caviar maison

On peut faire son propre caviar d'oeufs de poisson (sauf certaines espèces) d'eau salée ou d'eau douce. (Voir oeufs de poisson dans la section des espèces dont les oeufs sont habituellement utilisés.) Dès la mort du poisson, on doit enlever la membrane intégrale des oeufs. Il faut garder en entier et froid jusqu'au moment de la préparation. Comme les oeufs se détériorent rapidement, on doit faire la préparation rapidement. Il ne faut pas mélanger les oeufs de différentes espèces ni utiliser des oeufs congelés pour faire du caviar.

Rincer les oeufs doucement sous l'eau courante pour enlever le sang et l'humeur visqueuse.

Utiliser les doigts pour retirer les oeufs individuellement de la membrane et les mettre dans une tasse à mesurer. Préparer une saumure dans un contenant séparé. Pour chaque 250 à 500 ml (1 à 2 tasses) d'oeufs, brasser 500 ml (2 tasses) d'eau. Verser les oeufs dans la saumure et mélanger brièvement et doucement. Laisser les oeufs dans la saumure pendant de 2 à 3 heures afin qu'ils absorbent du sel. Toute membrane restante devient blanche; les enlever et les jeter s'il y en a. Couler les oeufs dans une passoire, puis plonger la passoire avec les oeufs dans un grand bol d'eau froide pour rincer doucement. Égoutter. Mettre dans des pots de conserve stérilisés ou d'autres contenants appropriés et entreposer au réfrigérateur pendant de 2 à 3 jours pour permettre la pénétration du sel. Le caviar peut alors être consommé: il a alors une saveur délicate.

La durée de l'entreposage détermine la force du caviar; son goût varie considérablement. On peut le garder plus longtemps, mais il devient rance et prend un goût de levure.

Lorsqu'on constate ce changement de goût, il faut jeter le caviar, car il est devenu impropre à la consommation. Le caviar maison peut se garder au réfrigérateur au plus de 3 à 4 mois.

On utilise le caviar pour faire des canapés exotiques et divers hors-d'oeuvre. Pour connaître les façons traditionnelles de le servir, voir la section des recettes de caviar.

❧NUTRITION❧

VALEUR NUTRITIVE

On trouve une grande variété de poisson et de fruits de mer à l'état frais, congelé ou en conserve. Il s'agit de produits de préparation simple et de cuisson rapide. Qu'il soit cuit au four, grillé, poché, bouilli, frit en pleine friture ou à la poêle, grillé à la braise, préparé en soupe, en sandwich, en fondue, en hors-d'oeuvre ou en plat principal, le poisson contribue toujours à agrémenter un menu et il est aussi très bon pour vous. Sur le plan nutritif, la chair du poisson et de tous les fruits de mer constitue, comme source de protéines, un substitut satisfaisant de la viande. Les protéines et le gras du poisson fournissent l'énergie nécessaire à la croissance comme à la bonne condition physique, au même titre que plusieurs vitamines et minéraux essentiels. La valeur du poisson et des fruits de mer comme aliments délicieux, satisfaisants et nutritifs a été méconnue trop longtemps.

Le poisson apporte une importante contribution au régime alimentaire quotidien comme source de protéines qui se digèrent facilement tout en étant d'une grande valeur nutritive. Les protéines alimentaires proviennent de substances connues sous le nom d'acides aminés; plus de 20 acides aminés ont été identifiés et 10 d'entre eux sont considérés comme essentiels à la croissance, au maintien et à la réparation des tissus corporels. C'est à la capacité d'une source de protéines de fournir les acides aminés essentiels qu'on mesure sa valeur protéinique. Or, le poisson fournit tous les acides aminés essentiels et, en plus, il contient moins de tissu conjonctif que les viandes rouges. Il se digère donc facilement et représente ainsi un aliment naturel de choix pour le régime alimentaire des personnes âgées et des tout jeunes enfants, ou de toute personne affligée de problèmes digestifs.

La teneur en gras du poisson varie considérablement selon les espèces et, chez une même espèce, selon les saisons. Le saumon et le hareng peuvent renfermer jusqu'à 15 pour cent de gras, tandis que l'ophiodon en contient habituellement moins de un pour cent. Bien qu'il soit nécessaire d'inclure dans notre régime alimentaire une petite quantité de certains lipides, le gras n'est pas essentiel à la croissance. Néanmoins, comme les lipides sont une meilleure source d'énergie par unité de poids que les protéines ou les hydrates de carbone et puisque le gras rehausse la saveur des aliments, il est généralement considéré comme un élément souhaitable du régime alimentaire. Les lipides contenus dans le gras du poisson sont très peu saturés. En outre, comme sa teneur en gras est faible comparativement aux autres aliments riches en protéines, le poisson est considéré comme un aliment excellent pour les personnes qui veulent perdre du poids.

Voici les principaux *poissons maigres d'eau salée* (Atlantique et Pacifique): morue, brosme, plie, aiglefin, merlu, flétan, ophiodon, goberge, sébaste, scorpène, éperlan et sole. Les principaux *poissons gras d'eau salée* (Atlantique et Pacifique) sont: morue charbonnière, anguille, hareng, maquereau, saumon, thon et flétan du Groenland. Quant aux *poissons maigres d'eau douce*, on trouve notamment: carpe, meunier noir, perche (perchaude), doré, grand brochet, doré noir, éperlan arc-en-ciel et cisco. Enfin, *les poissons gras d'eau douce* sont: omble chevalier, laquaiche aux yeux d'or, touladi et corégone.

La chair du poisson renferme très peu d'hydrates de carbone, et c'est là une autre bonne raison qui fait que le poisson est excellent pour ceux qui ont entrepris de réduire leur poids. Bien sûr, les hydrates de carbone sont nécessaires — en petites quantités — pour donner de l'énergie, mais les aliments à haute teneur en hydrates de carbone fournissent souvent des surplus d'énergie inutilisés.

L'être humain pourrait presque combler tous ses besoins normaux en vitamines à partir des diverses espèces marines vertébrées et invertébrées. Le saumon en conserve contient un peu de vitamine A, nécessaire à la croissance normale, à la bonne vue et à la résistance à l'infection. Plusieurs des poissons plus gras en conserve (thon, saumon, sardines et maquereau) sont de bonnes sources de vitamine D, laquelle aide le corps à mieux utiliser le calcium et le phosphore pour le développement des os et des dents. La vitamine B12 et la vitamine C ne sont présentes dans la chair du poisson qu'en quantités limitées. Les huîtres, ainsi que la laitance et les oeufs de poisson, sont d'excellentes sources de vitamine C, laquelle est nécessaire à l'entretien des dents, des gencives et des vaisseaux sanguins. On trouve dans les fruits de mer ainsi que dans le foie et les oeufs du poisson de petites quantités de vitamine B et de vitamines hydrosolubles, importantes pour la croissance normale et le développement, en particulier pour le maintien des systèmes nerveux et digestifs. La chair du poisson frais renferme de bonnes quantités d'acide nicotinique et des quantités de pyridoxines, mais contient peu de thiamine, de riboflavine et de biotine. L'acide folique, que renferme en grande quantité la chair du poisson cru, est largement détruit par la cuisson et la mise en conserve.

Le poisson offre un intérêt particulier, car il est habituellement une bonne source d'iode et de cuivre. L'iode est nécessaire au bon fonctionnement de la glande thyroïde, et sa carence entraîne le goître. Le cuivre, comme le fer d'ailleurs, est essentiel à la formation d'hémoglobine, cette protéine qui transporte l'oxygène et le bioxyde de carbone dans le sang. La fluorine est également présente en quantité suffisante. Par exemple, 112 g (4 onces) de saumon en conserve dont on a gardé les arêtes comestibles fournira, s'il est consommé tous les jours, la fluorine nécessaire pour prévenir la carie chez un enfant en période de croissance. Le poisson en conserve dont on a gardé les arêtes comestibles est une bien meilleure source de minéraux essentiels que la chair du poisson frais ou congelé. Une portion normale de 112 g (4 onces) de poisson en conserve (à l'exception du thon, qui est mis en conserve les arêtes déjà enlevées) fournit de 28 à 54 pour cent du phosphore nécessaire et de 7 à 44 pour cent du fer nécessaire (pour prévenir l'anémie). Même si beaucoup de gens pensent que le poisson récolté en eau salée contient plus de sodium que d'autres aliments, c'est plutôt le contraire qui est vrai; le poisson qui vient de la mer ne contient pas plus de sodium, et dans certains cas il en contient beaucoup moins que le boeuf, le porc ou l'agneau. Aussi convient-il mieux à ceux qui suivent une diète hyposodique.

TABLEAU DES VALEURS NUTRITIVES

La valeur nutritive de plusieurs poissons varie, surtout en gras, selon la zone et la période de l'année où on le pêche. Notre tableau donne une bonne indication de la valeur nutritive approximative de la plupart des espèces de poisson et de fruits de mer de l'Atlantique, du Pacifique et des eaux douces qu'on trouve habituellement sur le marché. Certaines espèces n'apparaissent pas parce que les données statistiques relatives à celles-ci ne sont pas connues.

Les valeurs nutritives sont données par 100 g (3,6 onces) dans le tableau. Les tirets indiquent qu'il n'y a pas de données fiables pour une quantité mesurable. À noter que dans la colonne du tableau où l'on indique la portion moyenne du poisson cuit, on indique le nombre de calories et le poids des portions moyennes de poisson cuit ou en conserve. Le poisson et les fruits de mer frits ont été trempés dans un mélange d'oeuf, de lait et de chapelure. À moins d'avis contraire, tous les autres poissons et fruits de mer cuits ont été grillés.

Pour les poissons et les fruits de mer mis en conserve, toutes les valeurs en vitamines sont celles de matières solides égouttées.

VALEUR NUTRITIVE

POISSON OU FRUIT DE MER	HUMIDITÉ	ÉNERGIE ALIMENTAIRE	PROTÉINES	HYDRATES DE CARBONE	LIPIDES	CENDRES	CALCIUM	PHOSPHORE
	%	k cal	g	g	g	g	mg	mg
Ormeau, cru	75,8	98	18,7	3,4	0,5	1,6	37	191
Gaspareau, cru	74,4	127	19,4	0	4,9	1,5	—	218
Omble chevalier, congelé	71,0	134	20,8	0	5,2	—	36	56
Omble chevalier, en conserve	64,2	176	25,6	0	8,2	—	149	368
Capelan, cru	79,0	98	18,6	0	2,1	1,1	—	272
Caviar (esturgeon)	46,0	264	27,0	3,2	15,4	—	278	360
Clams, crus (chair et liquide)	85,0	54	8,6	2,0	1,0	2,6	—	208
Clams, en conserve (chair et liquide)	86,3	52	7,9	2,8	0,7	2,3	55	137
Morue, crue	81,2	78	17,6	0	0,3	1,2	10	194
Morue, cuite (grillée)	64,6	170	28,5	0	5,3	—	31	274
Morue, séchée, salée	52,4	130	29,0	0	0,7	19,7	225	—
Morue, croquettes congelées	52,9	270	9,2	17,2	17,9	2,8	—	—
Crabe, frais, cuit	78,5	93	17,3	0,5	1,9	1,8	43	175
Crabe en conserve (chair seulement)	77,2	101	17,4	1,1	2,5	1,8	45	182
Brosme, cru	81,3	75	17,2	0	0,2	0,9	—	—
Aiguillat, cru	72,3	156	17,6	0	9,0	1,0	—	—
Anguille commune, crue	64,6	233	15,9	0	18,3	1,0	18	202
Anguille commune, fumée	50,2	330	18,6	0	27,8	2,4	—	—
Bâtonnets de poisson, panés, congelés	65,8	176	16,6	6,5	8,9	2,2	11	167
Sole, plie (tout poisson plat)	81,3	79	16,7	0	0,8	1,2	12	195
Aiglefin, cru	80,5	79	18,3	0	0,1	1,4	23	197
Gades fumés (aiglefin fumé)	72,6	103	23,2	0	0,4	3,1	—	—
Merlu, cru	81,8	74	16,5	0	0,4	1,3	41	142
Flétan, cru	76,5	100	20,9	0	1,2	1,4	13	211
Hareng, cru (Atlantique)	69,0	176	17,3	0	11,3	2,1	—	256
Hareng, cru (Pacifique)	79,4	98	17,5	0	6,6	1,2	—	225
Hareng, mariné	59,4	223	20,4	0	15,1	4,0	—	—
Hareng, kipper	61,0	211	22,2	0	12,9	4,0	66	254
Hareng, en conserve, ordinaire	62,9	208	19,9	0	13,6	3,7	147	297
Inconnu, cru	72,0	146	19,9	0	6,8	1,3	—	—
Homard, cru (entier)	78,5	91	16,9	0,5	1,9	2,2	29	183
Homard, en conserve ou cuit	76,8	95	18,7	0,3	1,5	2,7	65	192
Maquereau cru (Atlantique)	67,2	191	19,0	0	12,2	1,6	5	239
Maquereau cru (Pacifique)	69,8	159	21,9	0	9,3	1,4	8	274
Maquereau, en conserve, liquide et solide[9]	66,0	183	19,3	0	11,1	3,2	185	274
Moule commune, chair crue seulement	78,6	95	14,4	3,3	2,2	1,5	88	236
Grand brochet, cru	80,0	88	18,3	0	1,1	1,1	—	—
Sébaste, cru	79,0	95	19,0	0	1,5	1,1	—	—
Sébaste, cuit, frit[4]	59,0	227	19,0	6,8	13,3	1,9	33	226
Poulpe	82,2	73	15,3	0	0,8	1,5	29	173
Huîtres, crues (Atlantique)	84,6	46	8,4	3,4	1,8	—	94	143
Huîtres, crues (Pacifique)	79,1	91	10,6	6,4	2,2	1,7	85	153
Huîtres, cuites, frites[4]	54,7	239	8,6	18,6	13,9	1,5	152	241
Huîtres, en conserve, solides et liquide	82,2	76	8,5	4,9	2,2	2,2	28	124
Doré jaune, cru	78,3	93	19,3	0	1,2	1,2	0	214

FER	SODIUM	POTASSIUM	VITAMINE A	THIAMINE	RIBOFLAVINE	NIACINE	VITAMINE C	Total de calories	MESURE	Poids en onces
mg	mg	g	UI	mg	mg	mg	mg			
2,4	—	—	—	0,18	0,14	—	—	88	90 g	3
—	—	—	—	—	—	—	—	114	90 g filet	3
8,2	—	—	—	0,13	0,58	3,2	1,0	150	112 g filet	4
—	—	—	—	0,09	0,83	4,5	—	158	90 g	3
0,4	—	—	—	0,01	0,12	1,4	—	88	90 g (6 capelans grillés)	3
11,8	2228	182	—	—	—	—	—	42	16 g	0,5
—	—	—	—	—	—	—	—	92	112 g	4
4,1	—	140	—	0,01	0,11	1,0	—	88	90 g (¼ boîte, solides, égouttés)	3
0,4	70[2]	382	—	0,06	0,07	2,2	2	85	112 g filet	4
1,0	110	407	180	0,08	0,11	3,0	—	153	90 g filet	3
—	—	—	—	—	—	—	—	120	90 g filet	3
—	—	—	—	—	—	—	—	270	approx. 100 g (1 croquette)	3,5
0,8	—	—	2170	0,16	0,08	2,8	2	90	86 g	3
0,8	1000[2]	110	—	0,08	0,08	1,9	—	90	86 g	3
—	—	—	—	0,03	0,08	2,3	—	84	112 g filet	4
—	—	—	—	0,05	—	—	—	156	100 g filet	3,5
0,7	—	—	1610	0,22	0,36	1,4	—	210	90 g (morceaux)	3
—	—	—	—	—	—	—	—	297	90 g (morceaux)	3
0,4	475	208	0	0,04	0,07	1,6	—	170	90 g (3 bâtonnets)	3
0,8	78	342	—	0,05	0,05	1,7	—	88	112 g filet	4
0,7	61	304	—	0,04	0,07	3,0	—	188	112 g filet (frit)	4
—	—	—	—	0,06	0,05	2,1	—	92	90 g filet	3
—	74	363	—	0,10	0,20	—	—	84	112 g filet (à la vapeur)	4
0,7	54[3]	449	440	0,07	0,07	8,3	—	145	112 g filet	4
1,1	—	—	110	0,02	0,15	3,6	—	197	112 g	4
1,3	74	420	100	0,02	0,16	3,5	3	120	100 g	1
—	—	—	—	—	—	—	—	112	50 g filet	1,5
1,4	—	—	30	—	0,28	3,3	—	211	100 g	3,5
1,8	—	—	—	—	0,18	—	—	884	425 g (boîtes)	15
—	—	—	—	—	—	—	—	166	112 g filet	4
0,6	—	—	—	0,40	0,05	1,5	—	138	145 g (chair cuite)	5
0,8	210	180	—	0,10	0,07	—	—	485	250 g (homard Newburg)	8
1,0	—	—	(450)	0,15	0,33	8,2	—	248	105 g filet	3,5
2,1	—	—	120	—	—	—	—	204	112 g filet	4
2,1	—	—	430	0,06	0,21	5,8	—	765	425 g (boîtes)	15
3,4	289	315	—	0,16	0,21	—	—	85	90 g (chair seulement)	3
—	—	—	—	—	—	—	—	99	112 g filet	4
—	63	390	—	—	—	—	—	95	105 g (à la vapeur)	3,5
1,3	153	284	—	0,10	0,11	1,8	—	227	105 g filet	3,5
—	—	—	—	0,02	0,06	1,8	—	66	90 g (chair)	3
5,5	73	121	310	0,14	0,18	2,5	—	19	28 g (2 moyennes)	1
7,2	—	—	—	0,12	—	1,3	30	200	238 g (13-19 moyennes)	8
8,1	206	203	440	0,17	0,29	3,2	—	108	45 g (4 moyennes)	1,5
5,6	—	70	—	0,02	0,20	0,8	—	224	340 g (boîte)	12
0,4	51	319	—	0,25	0,16	2,3	—	105	112 g filet	4

VALEUR NUTRITIVE

POISSON OU FRUIT DE MER	HUMIDITÉ	ÉNERGIE ALIMENTAIRE	PROTÉINES	HYDRATES DE CARBONE	LIPIDES	CENDRES	CALCIUM	PHOSPHORE
	%	k cal	g	g	g	g	mg	mg
Goberge	77,4	95	20,4	0	0,9	1,3	—	—
Sébaste, cru	79,7	88	18,0	0	1,2	1,1	20	207
Morue charbonnière, crue	71,6	190	13,0	0	14,9	1,0	—	—
Saumon (frais), grillé ou au four	63,4	182	27,0	0	12,4	1,6	—	414
Saumon, fumé	58,9	176	21,6	0	9,3	—	14	245
Sockeye, en conserve, solides et liquide	67,2	171	20,3	0	9,3	2,7	259⁵	344
Coho, en conserve, solides et liquide	69,3	153	20,8	0	7,1	2,4	244⁵	288
Rose, en conserve, solides et liquide	70,8	141	20,5	0	5,9	2,3	196⁵	286
Sardines, en conserve dans l'huile, solides seulement	57,4	214	25,7	1,2	11,0	4,7	386	586
Doré noir	80,8	84	17,9	0	0,8	1,1	—	—
Pétoncles, crus	80,3	78	14,8	3,4	0,1	1,4	26	208
Alose, crue	70,4	170	18,6	0	10,0	1,3	20	260
Crevettes, crues	70,0	91	18,0	2,0	1,0	1,4	63	—
Crevettes, frites (en pâte)	56,9	225	20,3	10,0	10,8	2,0	72	191
Crevettes, en conserve, solides seulement	66,2	127	26,8	—	1,4	5,8	115	263
Raie	77,8	98	21,5	0	0,7	1,2	—	—
Éperlan (eulachon), cru	79,6	118	14,6	0	6,2	1,2	—	—
Calmar, cru	80,2	84	16,4	1,5	0,9	1,0	12	119
Espadon, cru	75,9	118	19,2	0	4,0	1,3	19	195
Truite (touladi), crue	73,1	144	19,9	0	6,5	1,2	—	—
Truite (touladi), congelée	70,6	168	18,3	0	10,0	—	—	238
Truite (touladi), en conserve	59,6	220	23,1	0	14,1	—	52	47
Cisco	79,7	91	17,7	0	2,3	1,1	12	206
Thon, frais (rouge), cru	70,5	145	25,2	0	8,1	1,3	—	—
Thon, en conserve, solides et liquide (dans le bouillon et dans l'huile)	61,3	207	26,1	0	10,6	1,8	11	242
Flétan (Groenland), cru	74,5	146	16,4	0	8,4	1,0	—	210
Corégone, cru	71,7	155	18,9	0	8,2	1,2	—	270
Perchaude, crue	79,2	91	19,5	0	0,9	1,2	—	180

NOTES:
1. Les éléments nutritifs des poissons varient, particulièrement la teneur en gras, selon la zone de capture et le moment de l'année. Le tableau donne une bonne indication de la valeur nutritive approximative des poissons les plus courants du commerce, au moment de l'impression.
2. La valeur est d'environ 225 mg par 100 g si la morue a été trempée ou rincée dans une saumure.
3. Deux échantillons congelés, trempés dans la saumure, contenaient 360 mg de sodium par 100 g.
4. Valeur applicable seulement si les arêtes sont consommées.
5. Comprend le sel ajouté au saumon en conserve.
6. Valeurs des vitamines basées sur les solides égouttés.

FER mg	SODIUM mg	POTASSIUM g	VITAMINE A UI	THIAMINE mg	RIBOFLAVINE mg	NIACINE mg	VITAMINE C mg	Total de calories	MESURE	Poids en onces
—	48	350	—	0,05	0,10	1,6	—	178	112 g filet (au four avec beurre)	4
1,0	79	269	0	0,10	0,08	1,9	—	288	90 g filet (frit)	3
—	56	358	—	0,11	0,09	—	—	190	100 g	3,5
1,2	116	443	160	0,16	0,06	9,8	—	192	90 g	3
—	—	—	—	—	—	—	—	158	90 g	3
1,2	522[6]	344	230	0,04	0,16	7,3	—	154	90 g	3
0,9	351[6]	339	80	0,03	0,18	7,4	—	138	90 g	3
0,8	387[6]	361	70	0,03	0,18	8,0	—	127	90 g	3
2,7	510	560	220	0,02	0,17	4,8	—	192	90 g (égouttées)	3
—	—	—	—	—	—	—	—	90	112 g filet	4
1,8	150	420	0	0,04	0,10	1,4	—	90	112 g	4
0,5	54	330	—	0,15	0,24	8,4	—	228	112 g (au four avec tranche de bacon)	4
1,6	140	220	—	0,02	0,03	6,3	—	91	100 g (20 petites)	3,5
2,0	186	229	—	0,04	0,08	2,7	—	203	90 g (6 grosses)	3
3,1	140	220	60	0,01	0,03	2,2	—	110	90 g	3
—	—	—	—	0,02	—	—	—	110	112 g (à la vapeur)	4
—	—	—	—	0,04	0,04	—	—	88	90 g (6 éperlans grillés)	3
0,5	—	—	—	0,02	0,12	—	—	94	112 g	4
0,9	—	—	1580	0,05	0,05	8,0	—	237	145 g	5,5
—	—	—	—	0,06	0,06	—	—	194	90 g (1 petite, cuite)	3
0,8	—	—	—	0,09	0,12	2,7	—	—	—	—
12,3	—	—	—	0,12	0,28	1,8	—	198	90 g	3
0,5	47	319	—	0,09	0,10	3,3	—	120	100 g (1 petit, au four ou grillé)	3,5
1,3	—	—	—	—	—	—	—	175	112 g (au four)	4
1,3	800	280	87	0,04	0,10	11,7	—	177	90 g (égoutté)	3
—	—	—	—	0,01	—	—	—	187	90 g filet	3
0,4	52	299	2260	0,14	0,12	3,0	—	174	112 g filet	4
0,6	68	230	—	0,06	0,17	1,7	—	230	250 g (1 poisson)	8

SOURCES:
U.S.D.A. Handbook No. 8 (1969)
U.S.D.A. Handbook No. 456 (1975)
Nutrient Value of Some Common Foods — Ministry of National Health and Welfare (révisé 1979)
— D.G. Iredale & R.K. York (1981)

3

MÉTHODES SIMPLES ET COURANTES DE CUIRE LE POISSON

RÈGLES FONDAMENTALES
MODES DE CUISSON
Au four
Sur gril
À la poêle
En pleine friture
Pochage ou cuisson à la vapeur
Cuisson du poisson congelé
Cuisine à la braise

RÈGLES
☞FONDAMENTALES☞

Même si la saveur, la texture et l'épaisseur des filets varient énormément d'une espèce de poisson à l'autre, il faut bien comprendre que les RÈGLES FONDAMENTALES de cuisson valent pour toutes les espèces. Il est bon de savoir que ces poissons, ou toute autre espèce de poisson à chair blanche, sont interchangeables.

Comme le poisson renferme très peu de tissu conjonctif, il n'exige pas une cuisson lente et prolongée. D'ailleurs, le poisson trop cuit est sec et insipide. Cuit à une température élevée et suivant la règle générale mentionnée ci-dessus, le poisson gardera sa saveur et restera juteux et savoureux. Il faut le faire cuire jusqu'à ce que sa chair translucide devienne opaque. Un moyen facile de savoir si le poisson est cuit à point: il suffit de l'effeuiller à la fourchette; la chair devrait alors être d'un blanc laiteux et opaque jusque dans sa partie la plus épaisse.

La RÈGLE GÉNÉRALE, qui prévoit 5 minutes par centimètre d'épaisseur, la mesure étant prise dans la partie la plus épaisse (10 minutes par pouce), est valable pour à peu près n'importe quelle méthode de cuisson du poisson frais ou partiellement décongelé.

Pour de bons résultats lors de la cuisson du poisson congelé: faire décongeler partiellement jusqu'à ce qu'il soit possible de plier le poisson, mais que celui-ci contienne encore des cristaux de glace, et prolonger un peu le temps de cuisson prévu selon la règle générale, quelle que soit la méthode de cuisson utilisée.

Par ailleurs, les filets ou les darnes qu'on a laissé décongeler complètement et qui sont entièrement mous perdront une grande partie de leurs jus naturels et seront secs et durs. CONSEIL: Pour préserver les jus naturels, tremper les filets ou les darnes partiellement ou complètement congelés dans le jus de citron et les passer ensuite dans la farine assaisonnée avant de commencer la recette (garder à cette fin un sac de polytène ou de papier brun avec de la farine assaisonnée si vous apprêtez souvent du poisson).

S'il est nécessaire de faire cuire du poisson solidement congelé, il faut doubler le temps de cuisson prévu selon la règle générale, donc, le faire cuire de 10 à 12 minutes par centimètre d'épaisseur, celle-ci étant mesurée dans la partie la plus épaisse (de 20 à 22 minutes par pouce).

ᏑMODES DE CUISSONᏑ

Il y a sept modes fondamentaux de cuisson du poisson:

— la cuisson au *four* ou sur le *gril*;
— la cuisson à la *poêle*;
— la cuisson en *pleine friture*;
— la cuisson à *l'eau bouillante*, à la *vapeur* ou le *pochage*.

Il importe, avec chacun de ces modes de cuisson, de bien régler la durée et la température de cuisson.

CUISSON AU FOUR

Faire chauffer le four à 230°C (450°F). À cette température, le temps de cuisson est très court. La règle générale est aussi valable pour un mince filet que pour un poisson entier farci. Quand le poisson est cuit au four nappé de sauce, le temps de cuisson est légèrement plus long, soit 65 minutes de plus pour chaque tranche de 2,5 cm (1 po) d'épaisseur. Si le poisson est cuit en sauce blanche ou dans une sauce renfermant des oeufs ou du fromage, la température du four doit être modérée, soit environ 180°C (350°F), pour prévenir la séparation ou le durcissement de ces éléments protéiniques.

CUISSON SUR GRIL

Faire chauffer le gril. Placer le poisson sur un gril-lèchefrite bien graissé; le badigeonner de margarine ou de beurre fondu et assaisonner au goût. Griller le poisson à une distance de 7 à 10 cm (3 à 4 po) de la source de chaleur, en laissant la porte du four entrouverte, selon les instructions du fabricant. Suivre la règle générale de cuisson en retournant le poisson une fois au milieu de la cuisson; assaisonner et badigeonner l'autre côté. Il n'est pas nécessaire de retourner les morceaux très minces (moins de 2,5 cm (1 po) d'épaisseur). La cuisson sur le gril est l'une des méthodes les plus faciles et les plus rapides de préparer divers plats de poisson. Il suffit de napper le poisson d'un apprêt avant de le faire cuire. C'est aussi une excellente méthode de cuisson pour les filets, les darnes, les bâtonnets et les mets en ramequins individuels, comme les coquilles Saint-Jacques.

CUISSON À LA POÊLE

Cette méthode est tout à fait appropriée pour les darnes, les filets et les petits poissons entiers. Il importe qu'il y ait assez de graisse pour couvrir le fond de la poêle (environ 0,3 cm [⅛ po]) et que cette graisse soit très chaude, mais non fumante. On obtiendra les meilleurs résultats avec une graisse dont le point de pyrolisation, c'est-à-dire le moment où elle commence à se décomposer en fumée, est élevé. Le poisson devrait être détaillé en portions et enrobé de farine assaisonnée ou trempé dans du lait ou un oeuf battu, assaisonné, et passé ensuite dans une panure quelconque, comme la chapelure (voir la section des recettes). La règle générale pour le temps de cuisson est toujours valable, mais il faut retourner le poisson une fois au milieu de la cuisson. Les deux côtés devraient être bien dorés.

CUISSON EN PLEINE FRITURE

Le choix de la friture est très important pour cette méthode de cuisson. Les graisses dont le point de pyrolisation est élevé (voir la cuisson à la poêle) sont les meilleures et, avec elles, les odeurs de cuisson sont réduites au minimum. En outre, les aliments n'absorbent pas ces graisses aussi spontanément que celles dont le point de pyrolisation est bas. La plupart des huiles végétales sont excellentes. Le poisson devrait être taillé en morceaux de grosseur uniforme ne dépassant pas 1,25 cm (½ po) d'épaisseur. Les filets devraient être trempés dans une pâte à frire ou panés, puis dorés dans l'huile à 190°C (375°F). Les filets, l'éperlan, les croquettes de poisson et les coquillages sont excellents cuits de cette façon. Égoutter sur du papier absorbant et servir. Il faut laisser la graisse atteindre de nouveau 190°C (375°F) avant de faire frire d'autres portions.

Après avoir servi, la friture doit être tamisée à l'étamine et on peut la clarifier en y cuisant un morceau de pomme de terre crue.

Voir la section des recettes pour les pâtes à frire, la panure, etc.

POCHAGE OU CUISSON À LA VAPEUR

Les portions de poissons entiers ou les filets destinés aux salades, aux casseroles, aux croquettes ou aux plats en sauce blanche peuvent être cuits dans l'eau ou au-dessus de l'eau.

Indication — 500 g (1 lb) de filets de poisson, après cuisson, donnent 500 ml (2 tasses) de poisson émietté.

Faire bouillir l'eau: saupoudrer d'environ 2 ml (½ c. à thé) de sel et ajouter le poisson. Ramener à ébullition et faire mijoter doucement en suivant la règle générale pour le temps de cuisson. Le poisson entier, les morceaux ou les darnes peuvent être pochés au court-bouillon (voir recettes, pages 257-258) selon une méthode semblable. C'est là une délicieuse façon de préparer le poisson. Le poisson fumé peut être poché au lait ou à l'eau (le lait est plus riche) soit dans une marmite peu profonde sur le feu, soit dans une casserole, au four. Le lait peut être épaissi et servi en sauce blanche sur le poisson.

Pour la cuisson à la vapeur, le poisson doit être suspendu au-dessus de l'eau bouillante dans un tamis ou une passoire. Bien couvrir et laisser cuire à la vapeur un peu plus longtemps que le prévoit la règle générale. Vérifier en séparant la chair; si elle est blanc laiteux et opaque partout, le poisson est cuit.

CUISINE À LA BRAISE

Plus que jamais, les fruits de mer cuisinés à la braise sont à la mode en été dans plusieurs provinces canadiennes et, pour ceux qui ont les installations nécessaires, en hiver aussi. La préparation est simple, la cuisson rapide et les résultats sont délicieusement différents. Si le poisson est congelé, le laisser décongeler au réfrigérateur avant de le faire cuire à la braise; ceci assure une cuisson uniforme. Le poisson entier devrait d'abord être écaillé. La chair du poisson contient peu de tissu conjonctif et peut se briser aisément quand elle est cuite. Il est donc utile d'avoir un gril à charnière ou un gril-panier pour éviter de perdre des morceaux entre les tiges du gril.

Pour empêcher le poisson d'adhérer au métal, bien huiler le gril, le gril-panier et le poisson avant la cuisson — garder à portée de la main un balai à pâtisserie et un pot d'huile. Il est impossible de donner de règles précises pour le temps de cuisson, car il y a trop de variables en cause, comme la chaleur des braises, la distance entre le gril et les braises, la température du poisson ou des fruits de mer au début de la cuisson, la température extérieure et l'intensité des vents. Cependant, les indications suivantes peuvent servir de guide:

1. Allumer les braises 20 minutes avant d'utiliser le barbecue (elles devraient être grises).
2. Le poisson doit être placé de 7 à 10 cm (de 3 à 4 po) au-dessus des braises.

TEMPS DE CUISSON À LA BRAISE

Présentation	Temps approx.	Observations
Poisson entier	12 à 18 minutes	Retourner une fois
Poisson entier	30 à 60 minutes	à mi-temps de la cuisson
Poisson fendu	8 à 12 minutes	Pas nécessaire de retourner
Poisson fendu	20 à 40 minutes	Retourner si plus de 2,5 cm (1 po) d'épais
Filets	8 à 18 minutes	Selon l'épaisseur
Darnes		
2,5 cm (1 po) d'épais	6 à 9 minutes	Retourner à mi-temps
2,5 à 4 cm (1 à 1½ po) d'épais	8 à 12 minutes	Retourner à mi-temps
5 cm (2 po) d'épais	10 à 18 minutes	Retourner à mi-temps

Recettes

HORS-D'OEUVRE ET
AMUSE-GUEULE

SOUPES ET BOUILLABAISSES

SALADES

ENTRÉES LÉGÈRES

ENTRÉES POUVANT SERVIR
DE PLAT PRINCIPAL

GARNITURES

MARINADES

COURTS-BOUILLONS

PANURES ET PÂTES À FRIRE

FARCES

SAUCES

VINAIGRETTES

Hors-d'oeuvre et
ᘒAmuse-gueuleᘒ

Oeufs farcis à l'anchois

1 boîte de 56 g	de filets d'anchois	2 oz
12	oeufs durs	12
50 ml	de mayonnaise	¼ de tasse
50 ml	de crème sure	¼ de tasse
15 ml	de sherry mi-sec	1 c. à soupe
15 ml	de persil	1 c. à soupe
1 ml	d'origan	¼ de c. à thé
1 ml	de sel	¼ de c. à thé
0,5 ml	de poivre blanc	⅛ de c. à thé

Bien égoutter les filets d'anchois et les écraser, puis réserver 24 petits morceaux pour la décoration.

Couper les oeufs au milieu dans le sens de la longueur et retirer les jaunes délicatement. Écraser les jaunes avec la mayonnaise, la crème sure, le sherry et les anchois. Mélanger le persil, l'origan, le sel et le poivre. Déposer dans les blancs avec une cuillère ou une douille le mélange de jaunes d'oeufs. Sur chaque demi-oeuf, déposer un morceau d'anchois et décorer avec du persil. Donne 24 demi-oeufs.

TREMPETTE AUX MYES (Illustration p. 118)

128 g	de myes en conserve, émincées	4,5 oz
250 g	de fromage à la crème	8 oz
15 ml	d'oignon haché fin	1 c. à soupe
10 ml	de jus de citron	2 c. à thé
50 ml	de mayonnaise	¼ de tasse
2 ml	de sel	½ c. à thé
1 ml	de poivre	¼ de c. à thé
1 ml	d'aneth	¼ de c. à thé

Égoutter les myes et mettre le jus de côté. Battre le fromage à la crème et la mayonnaise, le jus de citron, l'oignon et les assaisonnements. Ajouter graduellement un peu de jus de myes jusqu'à la consistance d'une trempette. Incorporer les myes émincées et réfrigérer pendant une heure avant de servir. Donne environ 375 ml (1½ tasse).

CHAUSSON AUX MYES*

250 g	de myes fraîches	8 oz
	suffisamment de pâte	
	pour 2 abaisses de tarte	
50 ml	de sauce à coquetel (voir p. 273)	¼ de tasse

Bien égoutter les myes et les hacher grossièrement. Rouler la pâte à environ 0,3 cm (⅛ po) d'épaisseur et tailler en cercles de 7,5 cm (3 po). Sur chaque cercle, déposer une cuillerée à thé comble (de 5 à 7 ml) de myes et environ 2 ml (½ c. à thé) de sauce à coquetel. Plier la pâte en deux et humecter les bords pour les sceller. Badigeonner la pâte avec un peu d'eau ou d'oeuf battu. La piquer avec une fourchette pour laisser s'échapper la vapeur. Disposer sur une lèchefrite et faire dorer à 220°C (425°F) pendant environ 15 minutes. Donne 24 chaussons.

* On peut aussi utiliser des huîtres ou de la chair de crabe.

BOUCHÉES AU CRABE (Illustration p. 138)

30 ml	de farine	2 c. à soupe
1 ml	de sel	¼ de c. à thé
0,5 ml	de paprika	⅛ de c. à thé
15 ml	de beurre ou de margarine	1 c. à soupe
75 ml	de lait	⅓ de tasse
1 ml	de sauce Worcestershire	¼ de c. à thé
5 ml	de persil émincé	1 c. à thé
170 g	de crabe en conserve, égoutté et émietté OU	6 oz
170 g	de chair de crabe frais	6 oz
175 ml	de chapelure fine, légèrement assaisonnée	¾ de tasse
1	oeuf, légèrement battu	1
30 ml	d'eau	2 c. à soupe

Faire fondre le beurre dans une marmite, ajouter la farine et les épices et mélanger. Ajouter le lait graduellement et, sur feu moyen, brasser constamment jusqu'à consistance lisse et épaisse. Retirer du feu, ajouter la sauce Worcestershire, le persil et la chair de crabe. Faire refroidir. Façonner en petites boules d'environ 1,25 cm (½ po) de diamètre. Battre l'oeuf légèrement avec l'eau. Tremper les boules de crabe dans la chapelure, puis dans le mélange d'oeuf et de nouveau dans la chapelure. Laisser sécher environ 5 minutes. Faire dorer en pleine friture à 190°C (375°F) pendant à peu près une minute, puis laisser égoutter sur du papier absorbant. Servir avec un cure-dent piqué dans chaque boule. Au goût, accompagner d'une trempette légèrement épicée. Donne environ 30 bouchées.

CANAPÉS AU CRABE ET À L'ANETH

250 g	de chair de crabe fraîche	8 oz
	ou congelée (décongelée)	
15 ml	de vin blanc sec ou sherry	1 c. à soupe
15 ml	d'aneth frais haché OU	1 c. à soupe
5 ml	d'aneth séché	1 c. à thé
15 ml	de beurre	1 c. à soupe
15 ml	de farine	1 c. à soupe
125 ml	de crème 15 % M.G.	½ tasse
	assaisonnement au goût	
8 ou 9 tranches	de pain blanc	8 ou 9 tranches

Égoutter le crabe; retirer tous les petits éclats de carapace ou de cartilage. Briser la chair en morceaux. Combiner chair de crabe, vin et aneth. Faire fondre le beurre et ajouter la farine. Retirer du feu. Incorporer la crème lentement, en brassant, au mélange de beurre et de farine. Remettre au feu et cuire doucement en brassant constamment jusqu'à épaississement. Assaisonner au goût. Incorporer la sauce au mélange de crabe. Couper 3 ou 4 cercles dans chaque tranche de pain. Faire griller un seul côté au four. Étendre le mélange de crabe généreusement sur le côté non grillé. Juste avant de servir, faire dorer sous le gril pendant 1 ou 2 minutes. Donne environ 30 canapés.

PÉTONCLES FRITS* AVEC GUACAMOLE

1 kg	de pétoncles	2 lb
	pâte à frire au choix	
	(pages 260 à 262)	
	huile pour pleine friture	
	sac de farine assaisonnée	

Enrober les pétoncles, d'abord de farine assaisonnée, puis de pâte à frire et faire dorer en pleine friture à 190°C (375°F) pendant deux ou trois minutes. Égoutter sur du papier absorbant. Servir chaud avec une trempette au guacamole.

TREMPETTE AU GUACAMOLE

1 gros	avocat pelé, dénoyauté et grossièrement réduit en purée	1 gros
1 petite	tomate pelée, épépinée et hachée fin	1 petite
7 ml	d'huile d'olive	1¼ c. à thé
15 ml	de jus de citron	1 c. à soupe
2 ml	d'assaisonnement au chili	½ c. à thé
2 ml	de poudre d'ail	½ c. à thé
10 ml	d'oignon émincé	2 c. à thé
5 ml	de sel	1 c. à thé
1 goutte	de Tabasco	1 goutte

Combiner tous les ingrédients et bien mélanger. Réfrigérer pendant une heure avant de servir.

* Crevettes, homard ou calmar peuvent aussi être utilisés. Dans le cas du calmar, le nettoyer, le laver et le couper en rondelles de 1,25 cm (½ po), faire mijoter pendant 15 minutes et égoutter avant de faire cuire en pleine friture.

BOULES AUX HUÎTRES (Illustration p. 127)

250 g	d'huîtres fraîches	8 oz
	ou 2 boîtes de conserve de 160 g (5 oz)	
175 ml	de jus d'huîtres	¾ de tasse
75 ml	de beurre	⅓ de tasse
4 ml	de sel	¾ de c. à thé
175 ml	de farine	¾ de tasse
3	oeufs	3
	suffisamment (7,5 à 10 cm	
	[3 à 4 po]) d'huile à friture	

Faire mijoter les huîtres fraîches dans leur jus jusqu'à ce que les bords commencent à froncer. Égoutter et mettre de côté 175 ml (¾ de tasse) de jus. Hacher grossièrement. Amener le jus, le beurre et le sel au point d'ébullition. Ajouter la farine d'un seul coup en brassant vigoureusement jusqu'à ce que le mélange décolle des côtés de la marmite et forme une boule. Retirer du feu et laisser refroidir un peu. Incorporer les oeufs, un à un, en battant bien après chaque addition. Ajouter les huîtres. Faire chauffer l'huile à 190°C (375°F). Laisser tomber le mélange par cuillerées dans l'huile et faire dorer pendant de 7 à 10 minutes. Servir chaud avec une sauce à coquetel (p. 273). Donne de 35 à 40 boules.

HUÎTRES SUR ÉCAILLE

24	huîtres en coquilles	24
250 ml	de sauce à coquetel (voir p. 273)	1 tasse
	glace pilée	
6	quartiers de citron	6
6	branches de persil	6

Ouvrir les huîtres*. Faire un lit de glace pilée dans des bols peu profonds ou des assiettes à soupe. Placer quatre huîtres dans leur écaille sur la glace avec 30 ml (2 c. à soupe) de sauce à coquetel dans un petit récipient, au centre. Garnir de quartiers de citron et de branches de persil. Donne 6 portions.

* Pour savoir comment ouvrir les huîtres, voir page 65.

Huîtres Rockefeller

12	huîtres dans l'écaille	12
50 ml	de beurre	¼ de tasse
250 ml	d'épinards hachés fin	1 tasse
50 ml	d'oignon haché fin	¼ de tasse
30 ml	de céleri haché fin	2 c. à soupe
30 ml	de persil haché	2 c. à soupe
50 ml	de chapelure sèche	¼ de tasse
2 ml	de sel	¼ de c. à thé
15 ml	de liqueur parfumée à l'anis	1 c. à soupe
une pincée	de poivre de cayenne ou de sauce chili	une pincée
2 tranches	de bacon en dés	2 tranches
	gros sel	

Écailler les huîtres et les égoutter. Replacer chaque huître dans son écaille inférieure.

Dans une casserole faire fondre le beurre, ajouter les épinards, l'oignon, le céleri et le persil. Faire cuire 6 minutes. Ajouter la chapelure et les assaisonnements et, en tournant, mélanger soigneusement.

Pour qu'elles restent stables, placer les demi-écailles contenant les huîtres sur un lit de gros sel, dans un plat allant au four. Recouvrir chaque huître du mélange d'épinards et parsemer de dés de bacon.

Dans un four chauffé à 205°C (400°F), faire cuire à peu près 10 minutes, jusqu'à ce que le bacon soit croustillant. Donne des amuse-gueule pour 6 personnes.

CHAMPIGNONS FARCIS AUX HUÎTRES

500 g	d'huîtres fraîches ou congelées, décongelées	1 chopine
15 ml	de beurre fondu	1 c. à soupe
30 ml	de sherry mi-sec	2 c. à soupe
0,5 ml	de sel	⅛ de c. à thé
12 grosses	têtes de champignons	12 grosses

Tremper les huîtres dans le mélange de beurre fondu, de sherry et de sel. Placer une huître dans chaque tête de champignon. Verser le reste du liquide sur les huîtres et les champignons. Cuire au four à 230°C (450°F) pendant 10 minutes. Servir chaud. Donne de 3 à 4 portions.

MYES MARINÉES

500 ml	de jus ou de nectar de myes*	2 tasses
125 ml	d'eau	½ tasse
500 ml	de vinaigre	2 tasses
1	feuille de laurier	1
7 ml	de clous de girofle entiers	1½ c. à thé
5 ml	de grains de poivre entiers	1 c. à thé
5 ml	de cannelle	1 c. à thé
15 ml	de sel	1 c. à soupe
10 ml	de muscade	2 c. à thé
10 ml	de graines de moutarde	2 c. à thé
500 g	de myes fraîches, écaillées et égouttées; garder le jus	1 lb

Faire chauffer et écumer le jus de myes. Ajouter l'eau, le vinaigre, les épices et faire mijoter assez longtemps pour bien mélanger les saveurs des épices (environ 30 minutes). Couler le liquide. Ajouter les myes au liquide et amener au point d'ébullition. Retirer du feu et laisser refroidir. Conserver au réfrigérateur. Les myes marinées se servent comme entrée froide et devraient être préparées la veille. Égoutter avant de servir.

* On peut utiliser deux boîtes de myes en conserve de 5,2 oz si l'on n'a pas de myes fraîches.

Trempette épicée au saumon

220 g	de saumon sockeye ou coho en conserve	7¾ oz
375 ml	de crème sure	1½ tasse
125 ml	de sauce chili	½ tasse
50 ml	de cornichons hachés ou de relish	¼ de tasse
1 paquet	de mélange à vinaigrette française	1 paquet
5 ml	de raifort	1 c. à thé
15 ml	de jus de citron	1 c. à soupe
15 ml	de ciboulette hachée	1 c. à soupe
2 gouttes	de Tabasco	2 gouttes
1 ml	de sel	¼ de c. à thé

Mélanger tous les ingrédients et réfrigérer pendant de 2 à 4 heures. Donne une trempette délicieuse et nourrissante à servir avec des légumes crus, comme du chou-fleur, des carottes en bâtonnets, des échalotes, des bâtonnets de courgette, du céleri, des tomates cerises et des radis. Donne 1 litre (4 tasses).

COQUETEL DE FRUITS DE MER*

375 ml	de crevettes cuites, hachées	1½ tasse
50 ml	de ketchup	3 c. à soupe
50 ml	de sauce chili	3 c. à soupe
15 ml	de sauce Worcestershire	1 c. à soupe
30 ml	de raifort préparé	2 c. à soupe
2 gouttes	de Tabasco	2 gouttes
10 ml	de jus de citron	2 c. à thé
	laitue	

Combiner toutes les sauces et réfrigérer pendant au moins une heure pour laisser les ingrédients se mélanger. Placer une feuille de laitue dans des verres à coquetel. Remplir de fruits de mer émiettés ou hachés. Napper de 30 ml (2 c. à soupe) de sauce à coquetel. Décorer de persil et de quartiers de citron. Donne 6 portions.

* On peut aussi utiliser du crabe, des myes, des huîtres ou des filets d'à peu près n'importe quel poisson à chair blanche.

BOULETTES DE CREVETTES AU FROMAGE

125 g	de crevettes dans l'écaille, cuites	½ tasse
1 boîte de 120 g	ou de crevettes	boîte de 4,5 oz
un paquet de 250 g	de fromage à la crème	un paquet de 8 oz
250 ml	de cheddar moyen râpé	1 tasse
30 ml	de sherry mi-sec	2 c. à soupe
5 ml	de moutarde en poudre	1 c. à thé
5 ml	de sauce Worcestershire	1 c. à thé
50 ml	de graines de sésame grillées	3 c. à soupe

Si vous utilisez des crevettes en conserve, il faut les égoutter, les rincer à l'eau froide courante, et les égoutter encore. Couper les crevettes en petits morceaux.

Utiliser un mélangeur électrique pour battre le fromage à la crème jusqu'à ce qu'il soit lisse. Ajouter le cheddar et bien battre.

Dans un autre bol, mélanger le sherry, la moutarde en poudre et la sauce Worcestershire, puis ajouter le tout en remuant dans le mélange au fromage. Ajouter les crevettes en dernier. Former le mélange en boulettes, couvrir et réfrigérer jusqu'à ce qu'elles soient fermes.

Quand les boulettes sont prêtes à servir, les refaçonner et les rouler dans les graines de sésame. Servir avec des craquelins. Donne à peu près 500 ml (2 tasses).

TREMPETTE AUX CREVETTES

120 g	de crevettes en conserve ou	4,5 oz
125 g	de crevettes fraîches	4 oz
250 g	de fromage à la crème, ramolli	8 oz
125 ml	de mayonnaise	½ tasse
30 ml	de sauce chili	2 c. à soupe
50 ml	de vinaigrette à l'huile et au vinaigre	¼ de tasse
30 ml	d'échalote hachée fin	2 c. à soupe

Égoutter les crevettes en boîte; rincer à l'eau froide et égoutter de nouveau. Hacher les crevettes en petits morceaux. Mélanger le fromage à la crème, la mayonnaise, la sauce chili, la vinaigrette et l'échalote jusqu'à obtention d'un mélange crémeux. Ajouter les crevettes et bien mélanger. Refroidir pendant plusieurs heures avant de servir. Voilà une trempette savoureuse pour les légumes frais et crus. Donne environ 750 ml (3 tasses).

POIRES FARCIES AUX CREVETTES (Illustration p. 137)

796 ml	de moitiés de poires en conserve	28 oz
250 g	de fromage à la crème, ramolli	8 oz
15 ml	de lait	1 c. à soupe
125 g	de crevettes en conserve*, rincées, égouttées et hachées	4 oz
5 ml	de jus de citron	1 c. à thé
0,5 ml	de sel	⅛ de c. à thé
0,5 ml	d'aneth	⅛ de c. à thé
	olives farcies	
	quartiers de citron	
	laitue	

Bien égoutter les moitiés de poires. Battre le fromage à la crème et le lait jusqu'à consistance lisse. Ajouter les crevettes, le jus de citron, l'aneth et le sel. Remplir chaque demi-poire du mélange. Parsemer de paprika. Décorer avec des olives farcies et servir sur une feuille de laitue avec des quartiers de citron. Donne de 6 à 7 portions de 2 demi-poires chacune.

* On peut utiliser à la place 125 g (4 oz) de crevettes fraîches.

TARTINADE D'ÉPERLANS*

250 g	d'éperlans cuits, désossés et écrasés	8 oz
2 × 250 g	de fromage à la crème, ramolli	2 × 8 oz
5 ml	de sauce Worcestershire	1 c. à thé
10 ml	de moutarde préparée	2 c. à thé
30 ml	de jus de citron	2 c. à soupe
30 ml	d'oignon râpé	2 c. à soupe
30 ml	de ciboulette hachée fin	2 c. à soupe
125 ml	d'amandes effilées, broyées craquelins variés	½ tasse

Faire cuire les éperlans à la vapeur pendant de 7 à 10 minutes, puis laisser refroidir. Battre le fromage en crème et ajouter la sauce Worcestershire, la moutarde, le jus de citron, l'oignon et la ciboulette. Bien mélanger et ajouter les éperlans écrasés; battre jusqu'à l'obtention d'un mélange homogène. Façonner en boule dans une assiette de service et couvrir d'amandes effilées broyées. Réfrigérer pendant plusieurs heures avant de servir. Étendre sur des craquelins. Donne environ 750 ml (3 tasses).

* Peut servir de tartinade ou de trempette.

BÛCHES AU THON (Illustration p. 138)

184 g	de thon* en miettes, en conserve	6,05 oz
6	olives farcies, hachées fin	6
1 ml	de sel	¼ de c. à thé
1 ml	de paprika	¼ de c. à thé
2 ml	de raifort préparé	½ c. à thé
30 ml	de mayonnaise	2 c. à soupe
16	bâtonnets de céleri	16
	de 5 cm (2 po) de long	

Égoutter le thon; le mélanger avec la mayonnaise et les assaisonnements. Remplir les bâtonnets de céleri d'environ 15 ml (1 c. à soupe) de mélange. Garnir d'une tranche d'olive farcie et d'une petite branche de persil. Donne 16 bûches.

* On peut remplacer le thon par du saumon ou du maquereau en conserve.

PETITS MORCEAUX DE TURBOT

500 g	de filets de turbot	1 lb
375 ml	de pommes de terre écrasées	1½ tasse
1	oeuf bien battu	1
15 ml	de beurre fondu	1 c. à soupe
3 ml	de sel	¾ de c. à thé
1 ml	de poivre	¼ de c. à thé
15 ml	de poivron vert haché	1 c. à soupe
6 ml	de raifort	1 c. à thé
1 ml	de fenouil sec	¼ de c. à thé
	huile pour friture profonde	

Faire cuire le turbot à la vapeur, de 10 à 12 minutes, ou jusqu'à ce qu'il soit cuit. Laisser refroidir et défaire en flocons.

Mélanger les pommes de terre écrasées avec l'oeuf battu et le beurre fondu.

Ajouter le poisson, le sel, le poivre, le poivron vert, le raifort et le fenouil, puis battre jusqu'à ce que le mélange soit homogène. Façonner légèrement en petites boules.

Chauffer l'huile à 190°C (375°F) et faire frire de 2 à 3 minutes ou jusqu'à un brun doré. Donne 4 portions.

Autres choix possibles: morue, merluche, goberge (Boston bluefish), brosme ou doré jaune.

CAVIAR DE CORÉGONE (Illustration p. 139)

Compter 56 g (2 oz) par portion. Servir dans un bol de verre (cristal) placé sur de la glace pilée dans un autre bol, entouré de petits bols contenant:

— des blancs et des jaunes d'oeufs (séparés) cuits et hachés;
— de l'oignon cru haché;
— de la crème sure;
— des quartiers de citron.

Servir avec des rôties ou du pain de seigle foncé, beurré, des craquelins, des melbas ou des blinis (petite crêpe russe à la levure).

Soupes et
❦BOUILLABAISSES❧

BOUILLABAISSE

1 kg	de poissons et de crustacés (choisir des espèces parmi les suivantes: morue, flétan, aiglefin, doré, sole, anguille, sébaste, corégone, crevettes, crabe, palourdes, moules et petits homards)	2 lb
50 ml	d'huile d'olive	¼ de tasse
250 ml	d'oignon haché	1 tasse
1 gousse	d'ail haché	1 gousse
2	tomates	2
4 à 5 brindilles	de persil	4 à 5 brindilles
5 ml	de sel	1 c. à thé
une pincée	de thym	une pincée
une pincée	de fenouil	une pincée
une pincée	de safran	une pincée
1 feuille	de laurier	1 feuille
	fumet de poisson (voir p. 136) ou vin et eau en proportions égales	
8 tranches	de pain frais	8 tranches

Enlever la peau du poisson et le désosser, puis le couper en bouchées. Laisser les coques et les moules dans leurs coquilles brossées. Enlever les écailles des crevettes, du homard et du crabe (excepté les pinces). Peler et épépiner les tomates, puis les couper en tranches. Au fond d'une marmite hollandaise, ou d'un grand plat allant au four, de 4 l (4 pintes), chauffer l'huile d'olive et faire sauter les oignons, l'ail, les tomates et le persil pendant environ 5 minutes et assaisonner. Couvrir, amener à ébullition et faire cuire 10 minutes. Retirer du feu.

Étendre le poisson, les coquillages et les crustacés sur le mélange de légumes, puis ajouter juste assez de fumet de poisson pour recouvrir. Couvrir la marmite, amener à ébullition et faire mijoter pendant 10 minutes. Retirer du feu.

Le bouillon ou le poisson peuvent être servis séparément ou en même temps. Pour servir séparément, disposer le poisson, les coquillages et les crustacés de manière artistique sur un plat de service chauffé.

Placer une fine tranche de pain sur chaque assiette creuse. Passer le bouillon et verser sur le pain. Donne 8 portions.

SOUPE DE POISSON AU FROMAGE (Illustration p. 140)

500 g	de filets de poisson, frais ou congelé	1 lb
30 ml	de beurre	2 c. à soupe
50 ml	d'oignon haché fin	¼ de tasse
250 ml	de poivron vert haché fin	1 tasse
125 ml	de céleri haché fin	½ tasse
50 ml	de farine	¼ de tasse
2 ml	de sel	½ c. à thé
une pincée	de paprika	une pincée
500 ml	de bouillon de poulet	2 tasses
250 - 500 ml	de lait (selon la consistance voulue)	1 - 2 tasses
125 ml	de cheddar râpé	½ tasse

Faire décongeler partiellement les filets et les couper en cubes de 2,5 cm (1 po). Faire fondre le beurre et y faire attendrir légèrement l'oignon, le poivron vert et le céleri. Ajouter la farine, le sel et le paprika. Verser graduellement le bouillon et le lait. Faire cuire, en brassant constamment, jusqu'à épaississement. Ajouter le poisson et le fromage et faire mijoter en brassant doucement pendant de 5 à 7 minutes. Servir immédiatement avec des rôties beurrées. Donne de 4 à 6 portions.

CHAUDRÉE D'AIGUILLAT AU CÉLERI

500 g	de filets d'aiguillat*, en cubes	1 lb
250 ml	de pommes de terre, en cubes	1 tasse
500 ml	de céleri, en gros dés	2 tasses
125 ml	d'oignon haché	½ tasse
500 ml	d'eau	2 tasses
4 tranches	de bacon	4 tranches
375 - 500 ml	de lait	1½ - 2 tasses
5 ml	de sel	1 c. à thé
1 ml	de poivre	¼ de c. à thé
1 ml	de muscade	¼ de c. à thé

Faire brunir le bacon et l'oignon; ajouter les pommes de terre, le céleri et l'eau. Amener à ébullition et faire mijoter dix minutes. Ajouter le lait et les assaisonnements et ramener au point d'ébullition. Ajouter les cubes d'aiguillat et faire mijoter pendant de 10 à 15 minutes. Vérifier l'assaisonnement et modifier au besoin. Servir immédiatement avec des rôties beurrées. Donne de 4 à 6 portions.

* Mariné d'avance (voir page 21). Peut être remplacé par d'autres poissons.

SOUPE DE POISSON NOURRISSANTE (Illustration p. 149)

500 g	de filets de poisson, frais ou congelés	1 lb
75 ml	de beurre ou de margarine	⅓ de tasse
500 ml	d'oignon haché	2 tasses
250 ml	de carottes tranchées	1 tasse
250 ml	de poivron vert haché	1 tasse
796 ml	de tomates en conserve	28 oz
375 ml	de riz cuit	1½ tasse
5 ml	de sel	1 c. à thé
1 ml	de poivre	¼ de c. à thé
2 ml	de basilic	½ c. à thé
1 feuille	de laurier	1 feuille
125 - 250 ml	d'eau*	½ - 1 tasse

Faire décongeler partiellement le poisson s'il y a lieu. Faire sauter les légumes dans le beurre jusqu'à ce qu'ils soient légèrement attendris (environ 10 minutes). Ajouter en brassant les tomates, l'eau et l'assaisonnement et cuire à feu doux pendant 15 minutes. Couper le poisson en cubes de 2,5 cm (1 po) et ajouter, avec le riz, au mélange de légumes. Couvrir et laisser cuire encore de 7 à 10 minutes, selon l'épaisseur des filets. Servir avec une salade verte et des petits pains de blé entier, beurrés et chauds. Donne de 6 à 8 portions.

* Au goût.

FUMET DE POISSON

La tête du poisson, les arêtes et d'autres parties peuvent être utilisées pour préparer le fumet de poisson, que l'on met dans les soupes et les sauces. L'on peut prendre les parties des morues, des vivaneaux, des saumons, des truites ou des corégones de lac.

5 ml	de sel	1 c. à soupe
1	oignon haché	1
1 branche	de céleri avec les feuilles	1 branche
6 grains	de poivre blanc	6 grains
1 feuille	de laurier	1 feuille

Laver les morceaux de poisson, puis les mettre dans une grande casserole. Recouvrir d'eau froide, ajouter le sel, amener à ébullition, puis écumer soigneusement. Ajouter tous les autres ingrédients et faire mijoter pendant environ 45 minutes. Ne pas faire cuire plus longtemps, car un goût amer pourrait en résulter. Passer et mettre de côté jusqu'à utilisation. Peut se garder de 2 à 3 mois.

CHAUDRÉE DE MAQUEREAU OU DE THON

198 g	de thon ou de maquereau en conserve, brisé en morceaux	7 oz
375 ml	de pommes de terre, en dés	1½ tasse
6 tranches	de bacon, en morceaux	6 tranches
125 ml	d'oignon haché	½ tasse
5 ml	de sel	1 c. à thé
1 ml	de poivre	¼ de c. à thé
1 ml	de thym	¼ de c. à thé
540 ml	de tomates en conserve	19 oz
500 - 1 000 ml	de lait, au goût	2 - 4 tasses
10 ml	de beurre	2 c. à thé
5 ml	de persil émincé	1 c. à thé

Égoutter le poisson et mettre l'huile de côté. Dans une poêle profonde, faire revenir le bacon jusqu'à ce qu'il soit croustillant. Ajouter l'huile du poisson, puis l'oignon et l'assaisonnement et faire revenir jusqu'à tendreté. Ajouter les pommes de terre, couvrir et laisser cuire 10 minutes ou jusqu'à ce qu'elles soient tendres. Ajouter les tomates, le lait et le maquereau ou le thon défait en morceaux. Amener au point d'ébullition, mais ne pas laisser bouillir. Servir immédiatement en garnissant d'une noix de beurre et de persil émincé. Donne de 4 à 6 portions.

CHAUDRÉE DE MYES MANHATTAN

540 ml	de jus de tomate en conserve	19 oz
796 ml	de tomates en conserve	28 oz
250 ml	d'oignon haché	1 tasse
250 ml	de céleri haché	1 tasse
4 tranches	de bacon, haché fin	4 tranches
750 ml	de pommes de terre, en dés	3 tasses
426 ml	de myes entières en conserve, hachées	15 oz
5 ml	de cari	1 c. à thé
5 ml	de sel	1 c. à thé
1 ml	de poivre	¼ de c. à thé
1	feuille de laurier	1
2 ml	de thym	½ c. à thé

Faire mijoter les pommes de terre, le céleri et l'oignon avec les tomates et le jus de tomate jusqu'à ce qu'ils soient tendres. Faire frire légèrement le bacon. Ajouter aux légumes le bacon, le gras de bacon, les myes hachées et le jus de myes. Assaisonner au goût et faire mijoter 5 minutes. NE PAS AJOUTER D'EAU. Donne de 6 à 8 portions.

Chaudrée de Myes
de la Nouvelle-Angleterre

4 × 142 g	de jeunes myes en conserve OU	4 × 5 oz
36	myes fraîches	36
4 tranches	de bacon, en morceaux	4 tranches
500 ml	d'oignon haché	2 tasses
6	pommes de terre moyennes, en dés	6
250 ml	de crème 15 % frémie	1 tasse
500 ml	de lait frémi	2 tasses
30 ml	de beurre	2 c. à soupe
15 ml	de sel	1 c. à soupe
15 ml	de sel au céleri	1 c. à soupe
4 ml	de poivre blanc	¾ de c. à thé

Écailler ou égoutter les myes et garder le jus. Hacher fin les parties dures des myes fraîches et hacher grossièrement les parties molles. Laisser entières les jeunes myes en conserve. Faire frire le bacon jusqu'à ce qu'il soit croustillant. Égoutter et mettre de côté. Retirer le gras et ne garder que 75 ml (⅓ de tasse). Faire revenir les oignons à feu doux pendant 5 minutes. Ajouter les pommes de terre, l'assaisonnement et le jus de myes avec suffisamment d'eau pour obtenir un litre (4 tasses). Amener à ébullition, couvrir et laisser mijoter 10 minutes. Ajouter les myes, la crème et le lait. Ramener au point d'ébullition, mais ne pas laisser bouillir. Ajouter le beurre en brassant. Servir immédiatement en décorant de morceaux de bacon et de persil haché. Donne 12 portions.

Soupe aux huîtres

500 g	d'huîtres et leur jus	1 chopine
50 ml	de beurre	3 c. à soupe
4 ml	de sel au céleri	1 c. à thé
2 ml	de paprika	½ c. à thé
5 ml	de sauce Worcestershire	1 c. à thé
250 ml	de lait frémi	1 tasse
125 ml	de crème 15 % frémie	½ tasse

Faire fondre le beurre, ajouter les huîtres et leur jus et l'assaisonnement, en brassant. Amener au point d'ébullition. Ajouter la crème et le lait frémis et ramener à ébullition en brassant de temps en temps. Verser dans des bols et garnir de ciboulette ou de persil haché. Donne de 3 à 4 portions.

CHAUDRÉE PIQUANTE DE MORUE SALÉE

500 g	de morue* salée	1 lb
50 ml	d'huile	¼ de tasse
125 ml	d'oignon haché	½ tasse
125 ml	de céleri coupé en dés	½ tasse
75 ml	de poivron vert haché	⅓ de tasse
875 ml	d'eau	3½ tasses
796 ml	de tomates en conserve	28 oz
540 ml	de jus de tomate en conserve	19 oz
175 ml	de ketchup	¾ de tasse
175 ml	de riz cuit	¾ de tasse
2 ml	de paprika	½ c. à thé
5 ml	de sauce Worcestershire	1 c. à thé
2 à 4 gouttes	de sauce Tabasco	2 à 4 gouttes
	sac d'épices contenant 30 ml	
	(2 c. à soupe) d'épices pour marinades	
2	gousses d'ail hachées	2

Rafraîchir* la morue salée et l'émiet-
ter. (On peut faire tremper la morue salée pendant 24 heures, puis la laisser
égoutter et la congeler. Elle est alors prête à être utilisée dans vos recettes,
au besoin.) Faire chauffer l'huile dans une grande poêle et faire revenir
l'oignon, le céleri et le poivron vert jusqu'à ce qu'ils soient légèrement attendris. Ajouter l'eau, les tomates, le jus de tomate, le ketchup et le riz.
Envelopper les épices et l'ail d'étamine. Bien fermer et mettre dans la soupe.
Laisser mijoter pendant 30 minutes. Ajouter le paprika, le Tabasco, la sauce
Worcestershire et le poisson émietté, et faire chauffer de nouveau. Retirer le
sac d'épices avant de servir. Donne de 12 à 15 portions.

* Faire tremper la morue salée dans l'eau toute la nuit ou pendant 24 heures. Retirer l'eau et
  suivre la recette.

Chaudrées de saumon vite faites

SAUMON FUMÉ

250 ml	de saumon fumé, coupé en morceaux	1 tasse
284 ml	de crème de pomme de terre condensée, en conserve	10 oz
1 boîte	d'eau	1 boîte
75 ml	de lait écrémé en poudre	⅓ de tasse
2 ml	d'aneth	½ c. à thé
15 ml	de persil haché	1 c. à soupe
	assaisonnement au goût	

Mélanger le lait écrémé en poudre à la soupe. Ajouter l'eau et amener à ébullition en brassant fréquemment. Ajouter le saumon fumé et faire chauffer pendant de 2 à 3 minutes de plus. Assaisonner au goût. Ajouter le persil au moment de servir. Donne de 3 à 4 portions.

SAUMON FRAIS OU EN CONSERVE

220 g	de saumon en conserve OU	7¾ oz
250 ml	de saumon cuit émietté	1 tasse
284 ml	de crème de céleri condensée, en conserve	10 oz
1	boîte de liquide du saumon et de lait	1
5 ml	de cari	1 c. à thé
	assaisonnement au goût	

Vider la boîte de soupe dans une casserole. S'il s'agit de saumon en conserve, vider le jus dans la boîte de soupe et remplir avec du lait. Verser le lait et le cari dans la soupe et amener à ébullition. Ajouter le saumon, en morceaux, et assaisonner au goût. Donne de 3 à 4 portions.

BISQUE DE CREVETTES

1,5 kg	de crevettes dans l'écaille	3 lb
30 ml	de beurre	2 c. à soupe
125 ml	d'oignon haché	½ tasse
50 ml	de céleri haché	¼ de tasse
50 ml	de carottes hachées	¼ de tasse
2 brins	de persil	2 brins
1 feuille	de laurier	1 feuille
2 brins	de thym	2 brins
2 l	de fumet de poisson (voir p. 136) ou de bouillon de poulet	8 tasses
50 ml	de sherry sec	¼ de tasse
50 ml	de farine de riz ou de farine de blé	¼ de tasse
0,5 ml	de poivre moulu gros	⅛ de c. à thé
50 ml	de crème à fouetter	¼ de tasse

Dans une marmite de 4 l (4 pintes), faire fondre le beurre et sauter l'oignon, le céleri, les carottes, le persil, la feuille de laurier et le thym jusqu'à ce que l'oignon soit translucide. Ajouter les crevettes dans leurs écailles et faire cuire à grand feu de 3 à 5 minutes jusqu'à ce qu'elles deviennent roses et se mettent en boule. Ajouter le fumet de poisson, amener à ébullition et faire mijoter pendant 10 minutes.

Enlever les crevettes. Retirer les écailles et les jeter. Mettre de côté 250 ml (1 tasse) pour la garniture. Mettre le reste des crevettes, les légumes et 250 ml (1 tasse) de fumet dans un mélangeur, et battre à grande vitesse jusqu'à homogénéité. Dans un bol, détremper la farine de riz avec 125 ml (½ tasse) de fumet et mettre de côté. Dans un bol séparé, verser le restant du fumet et réserver. Rincer la marmite.

À travers un tamis fin, verser la purée, augmentée du fumet réservé dans la marmite rincée. Ajouter le sherry, amener à ébullition et baisser le feu. Verser la farine de riz détrempée dans la bisque chaude en remuant constamment. Continuer la cuisson pour 1 minute de plus. Assaisonner de sel et de poivre.

Immédiatement avant de servir, ajouter la crème en remuant. Garnir avec les crevettes réservées, finement tranchées. Donne 10 portions.

Autres choix possibles: crabe ou homard.

Soupe de filets à l'espagnole (Illustration p. 150)

500 g	de filets de poisson frais (morue, sole, sébaste, goberge, flétan)	1 lb
30 ml	de jus de citron	2 c. à soupe
15 ml	d'huile à salade	1 c. à soupe
250 ml	d'oignon tranché mince	1 tasse
125 ml	de carottes hachés	½ tasse
125 ml	de céleri haché	½ tasse
540 ml	de tomates en conserve	19 oz
250 ml	de nouilles, crues	1 tasse
625 - 750 ml	d'eau bouillante	2½ - 3 tasses
5 ml	de sel	1 c. à thé
2 ml	de poivre	½ c. à thé
30 ml	de parmesan râpé	2 c. à soupe

Couper le poisson en portions individuelles. Arroser de jus de citron. Faire chauffer l'huile dans une poêle électrique ou une casserole, ajouter l'oignon, les carottes et le céleri et frire jusqu'à ce qu'ils soient légèrement attendris, environ 5 minutes. Ajouter les tomates, les nouilles, l'eau bouillante, le sel et le poivre. Faire mijoter pendant 20 minutes. Placer les filets de poisson sur le dessus et laisser mijoter de 7 à 10 minutes de plus. Pour servir, placer un morceau de poisson dans chaque bol, remplir de soupe et saupoudrer de parmesan râpé. Donne de 4 à 6 portions.

❦SALADES❦

SALADE DE FILETS AMANDINE

500 g	de filets de flétan*, frais ou congelés	1 lb
250 ml	de céleri haché	1 tasse
250 ml	de raisins verts sans pépins	1 tasse
50 ml	d'amandes effilées grillées	¼ de tasse
50 ml	de crème sure	¼ de tasse
50 ml	de mayonnaise	¼ de tasse
15 ml	de jus de citron	1 c. à soupe
2 ml	de sel	½ c. à thé
0,5 ml	de poivre blanc	⅛ de c. à thé
	laitue	

Faire cuire les filets à la vapeur (voir page 110), les égoutter et les briser en morceaux. Ajouter le céleri, le raisin et les amandes et mélanger délicatement. Mêler la mayonnaise, la crème sure et le jus de citron et assaisonner au goût. Incorporer au mélange de poisson. Réfrigérer pendant une heure. Servir dans des coupes de laitue et garnir d'amandes et de raisins. Donne 4 portions.

* On peut remplacer le flétan par des filets de n'importe quel poisson à chair blanche.

AVOCATS FARCIS AUX MOULES

2	avocats moyens, coupés en deux (retirer le noyau)	2
50 ml	de coeurs d'artichaut marinés, hachés	¼ de tasse
125 ml	de moules* en conserve ou fraîches et cuites	½ tasse
2	échalotes hachées fin	2
30 ml	de mayonnaise	2 c. à soupe
10 ml	de jus de citron	2 c. à thé

Hacher grossièrement les coeurs d'artichaut. Laisser les moules entières si elles sont petites. Mélanger les coeurs d'artichaut, les moules, les échalotes, la mayonnaise et le jus de citron. Réfrigérer pendant une heure environ. Remplir les moitiés d'avocats de ce mélange et servir sur un lit de laitue. Garnir de quartiers de citron et de persil. Donne 4 portions.

* On peut remplacer les moules par des crevettes, du crabe ou du homard.

Salade de légumes et de poisson

500 g	de filets de poisson cuits	1 lb
250 ml	de concombre tranché très mince	1 tasse
250 ml	de tomates pelées et tranchées	1 tasse
250 ml	d'oignon tranché mince	1 tasse
15 ml	de vinaigre	1 c. à soupe
15 ml	de raifort	1 c. à soupe
15 ml	de sucre	1 c. à soupe
5 ml	de sel	1 c. à thé
125 ml	de crème sure	½ tasse

Faire cuire les filets à la vapeur (voir page 110). Égoutter, laisser refroidir et briser en morceaux. Mêler ensemble concombre, tomates et oignon. Mélanger vinaigre, raifort, sucre, sel et crème sure. Verser sur les légumes et bien mêler. Ajouter le poisson en dernier et mêler délicatement. Réfrigérer pendant une heure avant de servir. Donne 4 portions.

MOUSSE DE FLÉTAN (Illustration p. 159)

500 g	de flétan*	1 lb
500 ml	d'eau bouillante	2 tasses
2 tranches	d'oignon	2 tranches
4 tranches	de citron	4 tranches
5 ml	de sel	1 c. à thé
3 grains	de poivre entier	3 grains
170 g	de gelée au citron (1 paquet)	6 oz
50 ml	de vinaigre	¼ de tasse
2 ml	de sel	½ c. à thé
250 ml	de concombre pelé, épépiné, coupé en dés	1 tasse
50 ml	de poivron vert haché	¼ de tasse
50 ml	d'olives farcies, tranchées	¼ de tasse
2 ml	d'aneth	½ c. à thé
250 ml	de mayonnaise	1 tasse
	laitue	
	persil	

Faire pocher le flétan dans l'eau bouillante avec l'oignon, le citron, le sel et le poivre pendant 10 minutes par pouce d'épaisseur des filets. Égoutter et laisser refroidir; mettre le jus de côté. Couler et mesurer le bouillon; ajouter de l'eau, au besoin, pour obtenir 500 ml (2 tasses). Faire bouillir. Jeter le bouillon bouillant sur la gélatine et brasser jusqu'à dissolution complète. Ajouter le vinaigre et le reste du sel et réfrigérer jusqu'à ce qu'elle commence à prendre. Y incorporer le flétan en miettes, le concombre, le poivron vert, les olives, l'aneth et la mayonnaise. Verser dans des moules individuels et faire prendre au réfrigérateur. Démouler sur des feuilles de laitue et garnir d'olives farcies tranchées et de persil frais. Donne de 6 à 8 portions.

* On peut remplacer le flétan par tout autre poisson à chair blanche.

SALADE DE CRABE HAWAÏENNE (Illustration p. 160)

250 g	de chair de crabe* fraîche ou congelée, cuite	½ lb
398 ml	de papaye en conserve, égouttée	14 oz
125 ml	de céleri, en dés	½ tasse
75 ml	d'amandes grillées, en moitiés	⅓ de tasse
50 ml	de poivron vert, en dés	¼ de tasse
175 ml	de morceaux d'ananas, égouttés	¾ de tasse
50 ml	de noix de coco râpée, grillée	¼ de tasse
125 ml	de mayonnaise	½ tasse
15 ml	de jus de citron	1 c. à soupe
4 ml	de cari	¾ de c. à thé
2 ml	de sel	½ c. à thé
0,5 ml	de poivre blanc	⅛ de c. à thé

Égoutter le crabe et le défaire en morceaux, puis le mêler au céleri, à la papaye, aux amandes, au poivron vert, à l'ananas et à la noix de coco. Réfrigérer. Mélanger la mayonnaise, le jus de citron, le cari, le sel et le poivre et incorporer au mélange de crabe. Présenter sur un demi-ananas évidé et saupoudrer de noix de coco râpée. Donne de 4 à 6 portions.

* On peut remplacer le crabe par du homard ou des crevettes.

ÉTOILES DE MAQUEREAU (Illustration p. 161)

425 g	de maquereau* en conserve	15 oz
15 ml	de jus de citron	1 c. à soupe
5 ml	de sel	1 c. à thé
2 ml	d'assaisonnement au chili	½ c. à thé
50 ml	de sauce à salade cuite ou de mayonnaise	¼ de tasse
375 ml	de chou filamenté	1½ tasse
50 ml	de poivron vert haché	¼ de tasse
15 ml	d'échalote hachée	1 c. à soupe
2	oeufs cuits dur, tranchés	2
4	tomates	4
	verdure au choix	

Égoutter et émietter le maquereau en bouchées. Arroser de jus de citron. Mélanger le sel, l'assaisonnement au chili et la mayonnaise, et réfrigérer. Mêler le poisson avec le chou, le poivron vert et l'échalote. Au moment de servir, incorporer la mayonnaise. Couper les tomates en 8 quartiers en laissant l'extrémité intacte. Ouvrir les quartiers comme une étoile. Placer l'étoile sur un lit de laitue dans chaque assiette et remplir du mélange de maquereau. Garnir de tranches d'oeuf dur et d'échalote hachée. Donne 4 portions.

* On peut remplacer le maquereau par du thon et du saumon en conserve.

Salade de Scorpène de Luxe (Illustration p. 162)

500 g	de scorpène* cuit, désossé et émietté	1 lb
125 ml	d'orange tranchée mince	½ tasse
50 ml	de céleri, en dés	¼ de tasse
15 ml	d'échalote, hachée fin	1 c. à soupe
1	d'avocat, pelé et coupé en dés	1
50 ml	de concombre, pelé et coupé en dés	¼ de tasse
125 ml	de mayonnaise	½ tasse
30 ml	de jus de citron	2 c. à soupe
5 ml	de sel	1 c. à thé
0,5 ml	de poivre blanc	⅛ de c. à thé
2 ml	de basilic	½ c. à thé
2	oeufs cuits dur	2
	laitue	

Faire cuire les filets de scorpène à la vapeur (voir page 110). Laisser refroidir, égoutter et émietter. Mélanger la mayonnaise, le jus de citron et l'assaisonnement. Lier les tranches d'orange, le céleri, l'échalote, l'avocat et le concombre avec le mélange de mayonnaise. Incorporer délicatement le poisson émietté en brassant doucement jusqu'à ce que le tout soit bien mêlé. Réfrigérer pendant une heure environ. Servir sur un lit de laitue. Garnir de quartiers d'oeufs et de citron. Donne 4 portions.

* On peut aussi utiliser d'autres filets de poisson à chair ferme.

Salade de saumon Waldorf

220 g	de saumon* sockeye ou coho en conserve	7¾ oz
250 ml	de pommes non pelées, en dés	1 tasse
250 ml	de céleri tranché	1 tasse
125 ml	de raisins secs	½ tasse
50 ml	de noix hachées	¼ de tasse
50 ml	de mayonnaise	¼ de tasse
50 ml	de crème sure	¼ de tasse
15 ml	de vinaigre	1 c. à soupe
2 ml	de sel	½ c. à thé
1 ml	d'estragon	¼ de c. à thé
	laitue	

Égoutter le saumon et le briser en bouchées. Mélanger ensemble la mayonnaise, la crème sure, le vinaigre et assaisonner au goût. Lier le saumon, la pomme, le céleri, le raisin et les noix avec ce mélange. Servir dans des coupes de laitue. Donne de 4 à 5 portions.

* On peut remplacer par du thon ou du maquereau en conserve.

Céviche de pétoncles

500 g	de pétoncles crus	1 lb
	jus de citron ou de lime — suffisamment pour couvrir	
2	tomates pelées, épépinées et hachées	2
4 - 6	échalotes hachées fin	4 - 6
1	avocat, ferme mais mûr	1
2 ml	de sel	½ c. à thé
0,5 ml	de poivre	⅛ de c. à thé
1 goutte	de sauce Tabasco	1 goutte
	laitue	

Hacher grossièrement les pétoncles et couvrir de jus de citron ou de lime. Couvrir et laisser mariner au réfrigérateur pendant plusieurs heures jusqu'à ce que les pétoncles perdent leur apparence translucide. Égoutter. Mêler tomates, échalotes, avocat et assaisonnement (léger). Ajouter les pétoncles marinés et réfrigérer pendant de une à deux heures. Servir comme entrée ou comme salade sur un lit de laitue. Donne 6 entrées ou de 2 à 3 portions en salade.

SALADE DE HARENGS SCANDINAVES

2	harengs marinés entiers OU	2
4 filets	de hareng mariné	4 filets
2	pommes de terre moyennes bouillies à demi	2
250 ml	de céleri haché	1 tasse
50 ml	de cornichon à l'aneth	¼ de tasse
250 ml	de betteraves cuites ou en conserve, en dés	1 tasse
250 ml	de pommes hachées	1 tasse
15 ml	d'oignon émincé	1 c. à soupe
175 ml	de crème sure	¾ de tasse
15 ml	de sucre	1 c. à soupe
30 ml	de jus de citron	2 c. à soupe
2	oeufs cuits durs	2
30 ml	de persil haché	2 c. à soupe

Couper en dés le hareng, les pommes de terre, le céleri, le cornichon, les pommes et les betteraves. Fouetter la crème sure avec le sucre et le jus de citron. Mélanger tous les ingrédients et laisser reposer une heure dans un endroit frais. Mettre dans un plat de service peu profond et décorer de quartiers d'oeufs durs, de betteraves hachées fin et de persil émincé. Donne 6 portions. (Excellente pour un smorgasborg).

ASPIC DE CREVETTES

85 g	de gelée à la limette (un paquet)	3 oz
250 ml	d'eau bouillante	1 tasse
113 g	de fromage à la crème, ramolli	4 oz
125 ml	de mayonnaise	½ tasse
15 ml	de vinaigre	1 c. à soupe
500 ml	de céleri, en dés	2 tasses
30 ml	d'échalote hachée	2 c. à soupe
250 ml	de crevettes ou de saumon*, frais ou en conserve	1 tasse
2 ml	de sel	½ c. à thé
125 ml	de crème à fouetter	½ tasse
	laitue	

Verser l'eau bouillante sur la gelée et brasser jusqu'à dissolution. Laisser reposer jusqu'à ce qu'elle commence à prendre. Fouetter le fromage à la crème avec la mayonnaise et le vinaigre. Ajouter l'échalote, le céleri, les crevettes ou le saumon en morceaux, puis le sel. Bien mêler. Fouetter la crème jusqu'à ce qu'elle soit ferme et incorporer à la salade. Mettre dans un moule et faire prendre au réfrigérateur. Démouler sur un lit de laitue. Donne de 4 à 6 portions.

* Bien égoutter le poisson quand il s'agit de conserves.

Salade de raie arc-en-ciel

1 kg	d'ailerons de raie, pochés au court-bouillon	2 lb
500 g	de cottage à la crème	2 tasses
125 ml	de pois chinois en gousses, cuits et tranchés	½ tasse
50 ml	d'échalote hachée fin	¼ de tasse
50 ml	d'amandes effilées	¼ de tasse
15 ml	de jus de citron	1 c. à soupe
2 ml	de sel	½ c. à thé
0,5 ml	de poivre	⅛ de c. à thé
1 ml	d'aneth moulu	¼ de c. à thé
	coupes de laitue	
	quartiers de tomates	

Gratter la chair de la raie pour la détacher du cartilage et la détailler en bouchées. Mélanger le fromage cottage, les pois chinois, l'échalote, les amandes et le jus de citron. Assaisonner au goût avec le sel, le poivre et l'aneth. Incorporer délicatement la raie. Servir dans des coupes de laitue et décorer de quartiers de tomate et de persil. Donne 4 portions.

Salade de saumon fumé

500 g	de saumon* fumé	1 lb
125 ml	de crème sure	½ tasse
75 ml	de concombre pelé, épépiné et coupé en dés	⅓ de tasse
50 ml	d'amandes effilées	¼ de tasse
30 ml	d'échalote hachée	2 c. à soupe
2 ml	de sel	½ c. à thé
0,5 ml	de poivre blanc	⅛ de c. à thé
2 ml	d'aneth	½ c. à thé
	coupes de laitue	

Couper le saumon en bouchées. Mélanger avec la crème sure, le concombre, l'échalote, les amandes, le sel, le poivre et l'aneth. Servir dans des coupes de laitue. Donne de 3 à 4 portions.

* On peut remplacer le saumon fumé par du saumon ou du flétan frais et cuit.

Salade de courgettes et de calmar (Illustration p. 171)

500 g	de cônes de calmar, frais ou décongelés, nettoyés (voir la préparation à la page 68)	1 lb
125 ml	de yogourt nature	½ tasse
50 ml	de mayonnaise ou de sauce à salade cuite	¼ de tasse
250 ml	de courgettes, en dés	1 tasse
125 ml	de céleri, en dés	½ tasse
50 ml	de carottes râpées	¼ de tasse
15 ml	de jus de citron	1 c. à soupe
5 ml	de sauce Worcestershire	1 c. à thé
1 goutte	de sauce Tabasco	1 goutte
2 ml	de sel	½ c. à thé
1 ml	de paprika	¼ de c. à thé

Faire mijoter les cônes de calmar dans l'eau bouillante salée pendant une heure (ou 5 minutes à l'autoclave). Égoutter et couper en anneaux (en travers des cônes). Bien mélanger tous les autres ingrédients. Ajouter le calmar et réfrigérer pendant au moins une heure. Servir dans des coupes de laitue. Donne de 4 à 6 portions.

SALADE DE THON ET DE POMMES DE TERRE

2 × 198 g	de germon* en conserve (entier)	2 × 7 oz
1 l	de pommes de terre cuites, en dés	4 tasses
1	petit oignon haché	1
30 ml	de persil haché fin	2 c. à soupe
250 ml	de céleri, en dés	1 tasse
5 ml	de sel	1 c. à thé
30 ml	de crème 15 %	2 c. à soupe
50 ml	de crème sure	¼ de tasse
50 ml	de moutarde préparée	¼ de tasse
10 ml	de sucre	2 c. à thé
30 ml	de jus de citron	2 c. à soupe
0,5 ml	de poivre blanc	⅛ de c. à thé
	verdure au choix	

Égoutter le thon, le briser en bouchées et le mélanger doucement avec les pommes de terre, l'oignon, le persil, le céleri et le sel. Mélanger la crème 15 % et la crème sure, la moutarde, le sucre, le jus de citron et le poivre. Battre en mousse légère et verser sur le mélange de thon. Mélanger doucement, couvrir et laisser reposer une heure environ au réfrigérateur. Servir avec de la verdure. Donne de 6 à 8 portions.

* On peut remplacer le germon par 2 boîtes de conserve de 220 g (7¾ oz) de saumon.

ᔥEntrées Légèresᔥ

Croquettes d'ormeaux frites

Les croquettes d'ormeaux peuvent être servies comme entrée légère ou en hors-d'oeuvre. En entrée légère pour 4 personnes, cuisiner 0,500 kg de croquettes d'ormeaux. La même quantité pourra être servie en hors-d'oeuvre à 12 ou 16 personnes.

Premièrement, tremper les morceaux d'ormeaux dans un oeuf légèrement battu, puis dans la chapelure assaisonnée de vos herbes favorites ou utiliser n'importe quelle panure de ce livre (voir pp. 259 et 260).

Chauffer 2,5 cm d'huile végétale (⅛ de pouce) et faire cuire de chaque côté pendant pas plus d'une minute ou jusqu'à brun doré. Servir avec une sauce comme la sauce tartare (voir p. 274). Lorsqu'elle est servie en hors-d'oeuvre, la sauce coquetel aux fruits de mer (voir p. 273) fait une bonne trempette.

RAGOÛT D'ORMEAUX

250 g	d'ormeaux écaillés	½ livre
50 ml	d'huile	¼ de tasse
250 ml	d'oignons hachés	1 tasse
125 ml	de champignons hachés	½ tasse
50 ml	de poivrons verts hachés	¼ de tasse
1 boîte de 213 ml	de sauce tomate	1 boîte de 7 oz
175 ml	d'eau	¾ de tasse
375 ml	de pommes de terre en cubes	1½ tasse
125 ml	de céleri haché	½ tasse
2 ml	de sel	½ c. à thé
0,5 ml	de poivre	⅛ de c. à thé
1 ml	de feuilles de fenouil séchées	¼ de c. à thé

Dans une large casserole, faire chauffer l'huile et sauter les oignons jusqu'à ce qu'ils soient transparents. Ajouter les champignons et les poivrons verts, puis faire cuire encore 2 minutes. Ajouter la sauce tomate, l'eau, les pommes de terre et le céleri. Assaisonner de sel, de poivre et de fenouil. Faire mijoter 7 minutes jusqu'à ce que les pommes de terre soient presque cuites. Ajouter plus d'eau si nécessaire. Ajouter les ormeaux et faire cuire à petit feu de 5 à 10 minutes de plus jusqu'à ce que les ormeaux soient tendres. Donne 4 portions.

CRÈME DE FILETS DE POISSON AU FOUR (Illustration p. 172)

500 g	de filets de poisson cuits, en flocons	1 livre
30 ml	de poivron vert haché	2 c. à soupe
15 ml	d'oignon vert haché	1 c. à soupe
4	oeufs bien battus	4
500 ml	de crème 15 %	2 tasses
5 ml	de sel	1 c. à thé
1 ml	de poivre blanc	¼ de c. à thé
0,5 ml	de muscade	⅛ de c. à thé
0,5 ml	de zeste de citron râpé	⅛ de c. à thé

Mélanger le poisson en flocons, le poivron vert et l'oignon vert. Mettre dans un plat profond bien graissé. Dans un bol, battre les oeufs et ajouter la crème, le sel, le poivre, la muscade et la pelure de citron.

Dans un four préchauffé à 180°C (350°F), faire cuire le poisson de 30 à 35 minutes ou jusqu'à ce qu'il soit consistant au centre. Donne 4 portions.

SOUFFLÉ DE MYES

50 ml	de beurre	3 c. à soupe
50 ml	de farine	3 c. à soupe
250 ml	de lait	1 tasse
125 g	de myes en conserve émincées, égouttées (garder le liquide)	4 oz
125 ml	de liquide des myes	½ tasse
3 tranches	de bacon coupées en petits morceaux et frites	3 tranches
3	oeufs séparés	3
2 ml	de sauce Worcestershire	½ c. à thé
5 ml	de sel	1 c. à thé
1 ml	de poivre blanc	¼ de c. à thé
1 ml	de romarin	¼ de c. à thé

Faire frire le bacon en morceaux. Égoutter. Faire fondre le beurre, ajouter la farine et bien mélanger. Verser le lait graduellement en brassant constamment sur feu moyen, jusqu'à ce que la sauce épaississe. Ajouter les myes émincées, le liquide de myes et le bacon. Continuer à cuire en brassant, pendant 5 minutes. Retirer du feu et assaisonner au goût. Bien battre les jaunes d'oeufs, les ajouter au mélange et cuire 5 minutes de plus en brassant constamment. Laisser refroidir pendant 5 minutes. Faire monter les blancs en neige ferme et incorporer au mélange de myes. Verser dans un moule graissé et mettre au four à 190°C (375°F), dans un plat d'eau chaude peu profond, pendant de 45 à 50 minutes ou jusqu'à ce que ce soit cuit au centre. Donne 4 portions.

AIGUILLAT EN CASSEROLE

30 ml	de beurre ou de margarine	2 c. à soupe
30 ml	de farine	2 c. à soupe
250 ml	de lait	1 tasse
125 ml	de champignons tranchés	½ tasse
500 g	de filets d'aiguillat*, en cubes	1 lb
15 ml	de jus de citron	1 c. à soupe
10 ml	de moutarde préparée	2 c. à thé
5 ml	de sauce Worcestershire	1 c. à thé
2 ml	de sel	½ c. à thé
1 ml	de poivre	¼ de c. à thé
125 ml	de chapelure	½ tasse
15 ml	de beurre fondu	1 c. à soupe
30 ml	de parmesan râpé	2 c. à soupe

Faire fondre le beurre et y faire sauter les champignons pendant deux minutes; incorporer la farine et le lait graduellement en brassant sur feu moyen jusqu'à épaississement. Mélanger le jus de citron, la moutarde, la sauce Worcestershire et l'assaisonnement, et ajouter à la sauce. Amener à ébullition et ajouter les filets d'aiguillat. Chauffer pendant cinq minutes en remuant légèrement. Verser dans une casserole légèrement graissée. Mêler la chapelure, le fromage parmesan et le beurre fondu et saupoudrer la casserole. Faire cuire au four à 180°C (350°F) pendant 15 minutes ou jusqu'à ce que le mélange bouillonne. Servir avec un légume vert et du riz ou des nouilles. Donne 4 portions.

* Faire mariner d'avance toute la nuit (voir page 21). On peut aussi utiliser d'autres filets de poisson à chair blanche.

ANGUILLE EN CASSEROLE

1 kg	d'anguilles, fraîches ou congelées (décongelées)	2 lb
125 ml	d'oignon haché	½ tasse
30 ml	d'huile	2 c. à soupe
500 ml	de pommes de terre, pelées et coupées en dés	2 tasses
250 ml	de carottes, en dés	1 tasse
125 ml	de céleri, en dés	½ tasse
50 ml	de riz non cuit	¼ de tasse
	assaisonnement au goût	
30 ml	de beurre ou de margarine	2 c. à soupe
30 ml	de farine	2 c. à soupe
250 ml	de bouillon (des légumes)	1 tasse
125 ml	de cheddar râpé	½ tasse

Retirer la tête et les viscères des anguilles si elles ne sont pas déjà habillées. Les faire tremper pendant 10 minutes dans 1 l (1 pinte) d'eau glacée à laquelle a été ajouté 25 ml (2 c. à table) de sel, puis enlever la peau. Ouvrir les anguilles en coupant le long du dessus de l'arête principale. Puis, couper sous l'arête et la retirer. Trancher ensuite les anguilles en morceaux de 4 cm (1½ po) de long. Faire chauffer l'huile et y faire revenir l'oignon jusqu'à ce qu'il soit tendre, puis ajouter l'anguille, les légumes crus, le riz et l'assaisonnement. Couvrir d'eau bouillante et faire mijoter jusqu'à ce que les légumes soient cuits. Égoutter et garder 250 ml (1 tasse de bouillon).

Faire fondre le beurre, ajouter la farine et le bouillon en brassant, puis cuire à feu moyen jusqu'à épaississement. Verser la sauce sur le mélange d'anguille et mettre le tout dans une casserole légèrement graissée. Couvrir de fromage râpé et faire cuire au four à 180°C (350°F) pendant de 15 à 20 minutes ou jusqu'à ce que ce soit bien doré. Donne 4 portions.

Soufflé de poisson aux carottes

250 g	de morue cuite ou	1 tasse
	d'autres filets de poisson	
50 ml	de beurre	3 c. à soupe
50 ml	de farine	3 c. à soupe
5 ml	de sel	1 c. à thé
0,5 ml	de poivre	⅛ de c. à thé
250 ml	de lait	1 tasse
125 ml	de crème sure	½ tasse
15 ml	de jus de citron	1 c. à soupe
50 ml	de carottes crues râpées fin	¼ de tasse
15 ml	de persil haché fin	1 c. à soupe
3	oeufs, séparés	3

Faire pocher la morue (voir page 110). égoutter et émietter. Faire fondre le beurre dans la poêle et y mélanger la farine, le sel et le poivre. Ajouter graduellement le lait en brassant jusqu'à épaississement. Retirer du feu et ajouter la crème sure, le jus de citron, les carottes et le persil. Battre les jaunes d'oeufs et les ajouter à la sauce. Chauffer en brassant sans arrêt jusqu'à épaississement. Ajouter la morue émiettée. Battre les blancs jusqu'à ce qu'ils soient fermes et les incorporer au mélange. Verser celui-ci dans une casserole d'un litre et demi (1½ pinte) non graissée. Placer dans un plat peu profond, rempli d'eau bouillante. Faire cuire au four à 180°C (350°F) pendant environ 45 minutes ou jusqu'à ce que le mélange soit pris. Servir immédiatement. Donne 4 portions.

SOUFFLÉ DE FILETS LÉGER (Illustration p. 181)

500 g	de filets de vivaneau*, cuits, émiettés	1 lb
125 ml	de cheddar râpé	½ tasse
30 ml	de beurre	2 c. à soupe
30 ml	de farine	2 c. à soupe
250 ml	de crème 15 %	1 tasse
3	oeufs, séparés	3
5 ml	de sel	1 c. à thé
0,5 ml	de poivre	⅛ de c. à thé
0,5 ml	de muscade	⅛ de c. à thé

Faire cuire le poisson à la vapeur (voir page 110), égoutter et émitter. Faire une sauce en faisant fondre le beurre, en y ajoutant la farine, en y incorporant graduellement la crème et en brassant jusqu'à épaississement. Ajouter le fromage et brasser jusqu'à ce qu'il soit fondu. Battre légèrement les jaunes d'oeufs et y ajouter un peu de sauce chaude. Puis, verser les jaunes dans la sauce en brassant. Assaisonner au goût. Ajouter le poisson émietté. Laisser refroidir légèrement. Battre les blancs d'oeufs en neige ferme et incorporer à la sauce. Verser dans un plat à soufflé graissé ou dans une marmite à bords droits. Placer dans un plat d'eau chaude peu profond, mettre au four à 190°C (375°F) et cuire pendant de 45 minutes à une heure. Servir immédiatement avec du brocoli, du pain français et un vin blanc sec. Donne 4 portions.

* On peut aussi utiliser d'autres filets.

RAREBIT DE FILETS DE POISSON ET DE CHAMPIGNONS

500 g	de filets de poisson en dés	1 livre
50 ml	de beurre	¼ de tasse
500 ml	de champignons tranchés	2 tasses
30 ml	de farine	2 c. à soupe
250 ml	de crème 15 %	1 tasse
500 ml	de fromage doux râpé	2 tasses
5 ml	de sauce Worcestershire	1 c. à thé
3 gouttes	de sauce Tabasco	3 gouttes
2 ml	de sel	½ c. à thé
0,5 ml	de poivre blanc	⅛ de c. à thé
1	oeuf	1
	biscuits chauds ou pointes de rôties	

Dans une casserole, faire fondre le beurre et sauter les champignons de 2 à 3 minutes, jusqu'à ce qu'ils soient tendres. Pousser les champignons sur un côté et y mélanger la farine. Verser graduellement la crème en remuant, à petit feu, jusqu'à ce qu'elle épaississe et devienne lisse. Ajouter le fromage et brasser jusqu'à ce qu'il soit fondu. Assaisonner avec la sauce Worcestershire, le Tabasco, le sel et le poivre. Retirer du feu.

Battre l'oeuf dans un petit bol et y mélanger une petite quantité de sauce au fromage. Verser ce mélange à l'oeuf dans la casserole de sauce au fromage, puis ajouter le poisson.

Faire mijoter doucement en remuant continuellement pendant 5 minutes ou jusqu'à ce que le poisson soit cuit. Servir avec des biscuits chauds ou des pointes de rôties. Donne de 4 à 6 portions.

Autres choix possibles: flétan, turbot, doré, corégone ou carpe de lac.

Poisson aux tomates en casserole

500 g	de filets de morue ou de sole	1 lb
540 ml	de tomates étuvées en conserve	19 oz
125 ml	d'oignon tranché mince	½ tasse
125 ml	de poivron vert tranché mince	½ tasse
30 ml	de beurre	2 c. à soupe
2 ml	de sel	½ c. à thé
1 ml	de poivre	¼ de c. à thé
30 ml	de persil haché	2 c. à soupe
15 ml	de beurre fondu	1 c. à soupe

Faire revenir les oignons et le poivron vert dans 15 ml (1 c. à soupe) de beurre pendant 5 minutes. Verser les tomates dans un moule plat et étendre en couches l'oignon et le poivron vert. Disposer les filets sur les légumes, saupoudrer de persil haché et assaisonner. Arroser les filets de beurre fondu, couvrir et cuire au four à 230°C (450°F) en suivant la règle générale pour le temps de cuisson. Donne 4 ou 5 portions.

Filets faciles — sauce crémeuse au concombre

500 g	de filets de poisson, frais ou congelés	1 lb
50 ml	de vinaigrette crémeuse au concombre	¼ de tasse
1 ml	de sel	¼ de c. à thé
0,5 ml	de poivre blanc	⅛ de c. à thé
30 ml	de persil émincé	2 c. à soupe

Faire décongeler les filets, s'il y a lieu, suffisamment pour pouvoir les séparer. Disposer dans un plat à four peu profond sans les superposer. Mélanger la vinaigrette au concombre, le persil, le sel et le poivre. Verser sur les filets et faire cuire à 230°C (450°F) en suivant la règle générale pour le temps de cuisson. Donne 3 portions.

TRUITE ARC-EN-CIEL DORÉE À LA POÊLE (Illustration p. 182)

6	truites* arc-en-ciel habillées	6
12 tranches	de bacon	12 tranches
75 ml	de gras fondu ou d'huile	⅓ de tasse
1	oeuf légèrement battu	1
50 ml	de lait	¼ de tasse
5 ml	de sel	1 c. à thé
0,5 ml	de poivre	⅛ de c. à thé
125 ml	de farine	½ tasse
50 ml	de semoule de maïs dorée	¼ de tasse
5 ml	de paprika	1 c. à thé

Faire décongeler le poisson s'il y a lieu, le laver et l'éponger. Faire frire le bacon jusqu'à ce qu'il soit croustillant, retirer de la poêle et garder chaud. Ajouter du gras à la poêle au besoin. À l'oeuf légèrement battu, ajouter le lait, le sel et le poivre. Mélanger la farine, la semoule de maïs et le paprika. Tremper le poisson dans le mélange d'oeuf et de lait assaisonné, puis enrober de farine, de semoule et de paprika. Faire frire de deux à trois minutes de chaque côté ou jusqu'à ce que le poisson soit doré et cuit. Égoutter sur un papier absorbant et servir avec le bacon. Donne 6 portions.

* On peut remplacer les truites par du saumoneau coho de 500 g (1 lb).

HOMARD THERMIDOR

4 × 250 g	de queues de homards	4 × 8 oz
2 à 3 l	d'eau	2 à 3 pintes
1	oignon haché grossièrement	1
1	citron tranché	1
1 branche	de céleri hachée grossièrement	1 branche
1 feuille	de laurier	1 feuille
30 ml	de beurre fondu	2 c. à soupe
50 ml	de beurre	¼ de tasse
30 ml	d'échalotes coupées	2 c. à soupe
50 ml	de farine	¼ de tasse
150 ml	de crème 15 %	⅔ de tasse
50 ml	de sherry mi-sec	¼ de tasse
2 ml	de moutarde en poudre	½ c. à thé
2 ml	de sel	½ c. à thé
0,5 ml	de poivre	⅛ de c. à thé
50 ml	de parmesan râpé	¼ de tasse
	brins de persil	

Verser l'eau dans une grande casserole. Ajouter l'oignon, le citron, le céleri et la feuille de laurier, puis amener à ébullition. Réduire la chaleur et faire mijoter pendant 10 minutes. Ajouter les queues de homards et amener de nouveau à ébullition. Écumer la mousse et faire mijoter pendant 6 minutes. Retirer les queues de homards, les mettre de côté et laisser refroidir. Passer le bouillon et réserver 125 ml (½ tasse) de liquide.

Les queues de homards étant encore chaudes, retirer la chair des coquilles et la couper en bouchées. Nettoyer les écailles et en badigeonner l'intérieur et l'extérieur de beurre fondu.

Dans une casserole faire fondre le beurre et sauter les échalotes pendant une minute. Mélanger la farine. Graduellement, ajouter la crème et le bouillon réservé, puis brasser au-dessus d'un feu moyen jusqu'à ce que le mélange épaississe et cuise. Ajouter le sherry, la moutarde et faire cuire en remuant une minute de plus. Assaisonner au goût de sel et de poivre. Ajouter la chair de homard dans la sauce.

Placer les coquilles dans un plat graissé allant au four et, avec une cuillère, les garnir du mélange de homard. Saupoudrer de parmesan et les mettre sous le gril jusqu'à ce qu'elles soient dorées et bouillonnantes. Garnir avec les brins de persil. Donne 4 portions.

Croquettes de scorpène

500 g	de filets de scorpène, cuits et émiettés	2 tasses
125 ml	de pommes de terre en purée	½ tasse
75 ml	de cheddar râpé	⅓ de tasse
30 ml	d'oignon râpé	2 c. à soupe
1	oeuf battu	1
30 ml	de jus de citron	2 c. à soupe
30 ml	de beurre	2 c. à soupe
2 ml	de sel	½ c. à thé
1 ml	d'estragon	¼ de c. à thé
125 ml	de craquelins émiettés ou de flocons de maïs broyés	½ tasse

Faire cuire les filets à la vapeur (p. 110). Égoutter et émietter. Réduire les pommes de terre en purée, ajouter le beurre, puis mélanger tous les ingrédients sauf la chapelure. Former 6 croquettes et les rouler dans la chapelure. Faire cuire au four à 180°C (350°F) pendant de 25 à 30 minutes ou faire dorer à la poêle dans 0,6 cm (¼ po) d'huile pendant de 3 à 5 minutes de chaque côté. Servir avec votre sauce préférée.

Rogue en pleine friture

On peut faire cuire la rogue en pleine friture en l'enrobant de chapelure ou de pâte à frire (voir pages 259 à 262). Faire frire dans l'huile végétale à 190°C (375°F) pendant de 2 à 3 minutes, selon la taille de la rogue.

ROGUE AUX HERBES, AU FOUR

350 g	de rogue (comestible, voir pages 55 et 56)	12 oz
250 ml	de crème à fouetter	1 tasse
1 tranche mince	d'oignon, en rondelles	1 tranche mince
1 feuille	de laurier	1 feuille
1 ml	de romarin	¼ de c. à thé
1 ml	de cerfeuil	¼ de c. à thé
2 ml	de sel	½ c. à thé
5 ml	de persil haché	1 c. à thé

Placer la rogue dans une petite casserole bien graissée. Mélanger la crème et tous les assaisonnements, et verser sur la rogue (juste pour couvrir). Disposer sur le dessus les rondelles d'oignon, la feuille de laurier et le persil. Couvrir et faire cuire au four à 180°C (350°F) pendant de 20 à 25 minutes. Retirer l'oignon et la feuille de laurier avant de servir. Donne 2 portions.

ROGUE SAUTÉE

350 g	de rogue (comestible, voir pages 55 et 56)	12 oz
25 ml	de farine	2 c. à soupe
1 ml	de sel	¼ de c. à thé
1 ml	de poivre	¼ de c. à thé
0,5 ml	de romarin	⅛ de c. à thé
2 tranches	de bacon	2 tranches
25 ml	de beurre	2 c. à soupe

Saupoudrer légèrement la rogue de farine assaisonnée. Faire chauffer la poêle et faire revenir le bacon jusqu'à ce qu'il soit doré et croustillant. Retirer du feu et garder au chaud. Faire sauter la rogue dans le gras de bacon jusqu'à ce qu'elle soit cuite (environ de 2 à 3 minutes de chaque côté) et servir avec le bacon. Ou encore, faire chauffer le beurre et frire la rogue sur feu moyen jusqu'à ce qu'elle soit bien dorée des deux côtés. Donne 1 ou 2 portions.

PAIN DE SAUMON AU FROMAGE

1	oeuf	1
2 × 220 g	de saumon rose en conserve, égoutté (garder le liquide)	2 × 7¾ oz
250 ml	de fromage râpé	1 tasse
250 ml	de mie de pain	1 tasse
15 ml	d'oignon	1 c. à soupe
15 ml	de beurre fondu	1 c. à soupe
2 ml	de sel	½ c. à thé
0,5 ml	de poivre	⅛ de c. à thé
2 ml	de basilic	½ c. à thé
2 tranches	de fromage fondu	2 tranches

Émietter le saumon et écraser les arêtes. Battre l'oeuf et ajouter le saumon, le liquide, le fromage râpé, la mie de pain, l'oignon, le beurre et l'assaisonnement. Faire cuire au four à 180°C (350°F) pendant 20 minutes. Disposer les tranches de fromage sur le dessus et cuire pendant de 10 à 15 minutes de plus. Donne 4 portions.

PIZZA AU SAUMON (Illustration p. 183)

500 ml	de mélange à pâte*	2 tasses
125 ml	de liquide au saumon et de lait	½ tasse
220 g	de saumon rose en conserve, égoutté (garder le liquide)	7¾ oz
213 ml	de sauce aux tomates en conserve	7½ oz
250 ml	d'oignon haché fin	1 tasse
125 ml	d'olives noires hachées fin	½ tasse
50 ml	de poivron vert haché fin	¼ de tasse
1 ml	d'origan	¼ de c. à thé
340 g	de mozzarella tranché mince	12 oz
50 ml	de parmesan râpé	¼ de tasse
	sel et poivre au goût	

Faire une pâte avec le liquide du saumon, le lait et le mélange à pâte. Pétrir plusieurs fois, rouler en un cercle de 30 cm (12 po) de diamètre pour mettre dans un moule à pizza. Étendre de la sauce tomates, puis disposer en couches le mozzarella, le saumon émietté, l'oignon, les olives, le poivron vert, l'assaisonnement et parsemer généreusement de parmesan. Faire cuire au four à 230°F (450°F) pendant de 15 à 20 minutes.

* Utiliser un mélange à pâte auquel on n'ajoute que du lait.

MORUE SALÉE À L'ESPAGNOLE

500 g	de morue salée	1 lb
30 ml	d'huile d'olive ou à salade	2 c. à soupe
1	petit oignon haché	1
1	gousse d'ail écrasée	1
30 ml	de persil haché fin	2 c. à soupe
540 ml	de tomates étuvées en conserve	19 oz
250 ml	de bouillon de poulet	1 tasse
500 ml	de pommes de terre, en dés	2 tasses
1	piment de la Jamaïque en conserve, haché	1
125 ml	de chapelure	½ tasse
15 ml	de beurre fondu	1 c. à soupe

Faire tremper la morue salée dans l'eau froide pendant la nuit ou pendant plusieurs heures en changeant l'eau plusieurs fois. Faire frire l'oignon et l'ail écrasé dans l'huile jusqu'à ce qu'ils soient tendres, ajouter le persil et faire cuire une minute de plus. Ajouter les tomates étuvées et le bouillon, puis assaisonner au goût. (Ne pas ajouter de sel avant d'avoir goûté!) Ajouter les pommes de terre et le piment, et bien mélanger. Placer le poisson dans un plat peu profond et napper de sauce. Saupoudrer de chapelure au beurre et faire cuire au four à 180°C (350°F) pendant de 25 à 30 minutes. Donne de 4 à 6 portions.

Gᴿᴬᵀᴵᴺ DE CREVETTES RAPIDE (Illustration p. 184)

4	oeufs cuits dur	4
250 ml	de crevettes fraîches ou en conserve	1 tasse
5 ml	de persil haché	1 c. à thé
50 ml	de beurre	¼ de tasse
50 ml	de farine	¼ de tasse
500 ml	de crème 15 %	2 tasses
2 ml	de sel	½ c. à thé
0,5 ml	de poivre	⅛ de c. à thé
1 ml	de poudre de gingembre	¼ de c. à thé
125 ml	de chapelure au beurre	½ tasse
15 ml	de beurre fondu	1 c. à soupe

Égoutter les crevettes si elles sont en conserve. Rincer à l'eau douce et égoutter de nouveau. Faire fondre le beurre, ajouter la farine et mélanger. Incorporer graduellement la crème et faire cuire sur feu moyen, en brassant constamment, jusqu'à consistance épaisse et crémeuse. Assaisonner. Hacher les oeufs, les jeter dans la sauce, ainsi que les crevettes et le persil, et verser le tout dans un plat à four beurré. Saupoudrer de chapelure au beurre et faire cuire au four à 180°C (350°F) pendant 15 minutes ou jusqu'à ce que le mélange bouillonne. Servir sur des rôties chaudes, beurrées, ou avec du riz léger et une salade verte. Donne 4 portions.

OMELETTE AU SAUMON
ET AU FROMAGE À LA CRÈME

4	oeufs	4
30 ml	d'eau glacée	2 c. à soupe
30 ml	de beurre	2 c. à soupe
50 ml	de fromage à la crème, ramolli	¼ de tasse
15 ml	de vin blanc sec ou de sherry	1 c. à soupe
125 g	de saumon* en conserve, égoutté et émietté	4 oz
30 ml	d'échalote hachée fin	2 c. à soupe
2 ml	de sel	½ c. à thé
0,5 ml	de poivre blanc	⅛ de c. à thé

Battre les oeufs jusqu'à ce qu'ils soient légers et mousseux, puis ajouter 30 ml (2 c. à soupe) d'eau froide. Battre pour mélanger seulement. Faire fondre le beurre dans la poêle et ajouter les oeufs. Cuire à feu moyen en brassant le centre occasionnellement. Battre le fromage à la crème avec le vin et l'assaisonnement. Ajouter le saumon et l'échalote puis, lorsque les oeufs sont presque pris, étendre le mélange de saumon sur l'omelette et laisser cuire une minute de plus. Plier en deux et servir immédiatement. Donne 2 portions.

* On peut aussi utiliser des crevettes, du crabe, du homard, etc.

COQUILLES DE FRUITS DE MER

500 g	de chair de crabe	1 livre
125 ml	d'eau	½ tasse
125 ml	de vin blanc sec	½ tasse
4 tranches minces	d'oignons	4 tranches minces
4 tranches minces	de citron	4 tranches minces
2 brins	de persil	2 brins
1 feuille	de laurier	1 feuille
6 grains	de poivre	6 grains
5 ml	de sel	1 c. à thé
30 ml	de beurre	2 c. à soupe
50 ml	de champignons tranchés	¼ de tasse
30 ml	de farine	2 c. à soupe
50 ml	de crème 15 %	¼ de tasse
50 ml	de chapelure fraîche	¼ de tasse
30 ml	de cheddar râpé	2 c. à soupe

Amener l'eau et le vin à ébullition avec l'oignon, le citron, le persil, la feuille de laurier, les grains de poivre et le sel. Passer ce court-bouillon et réserver le bouillon.

Dans une casserole faire fondre le beurre et sauter les champignons pendant 5 minutes au-dessus d'un feu moyen. Ajouter la farine et, lentement, le bouillon réservé en remuant jusqu'à épaississement. Ajouter la crème et y envelopper la chair de crabe. Verser dans 4 coquilles de pétoncle graissées.

Dans un four préchauffé à 260°C (500°F), faire cuire de 5 à 8 minutes. Mélanger la chapelure avec le fromage et en saupoudrer le mélange de crabe. Placer sous le gril de 1 à 2 minutes et faire dorer. Donne une entrée pour 2 ou 3 personnes ou un hors-d'oeuvre pour 4 ou 5 personnes.

Choix: Les renommées coquilles Saint-Jacques sont faites avec des pétoncles. Essayer des crevettes ou des filets de poissons tels que du saumon, du flétan, de la morue et du turbot coupés en cubes. Si les fruits de mer sont déjà cuits, faire mijoter le court-bouillon pendant de 5 à 8 minutes sans le poisson, puis passer et réserver le bouillon.

Quiche aux fruits de mer (Illustration p. 193)

	pâte pour croûte de tarte de 23 cm (9 po)	
250 ml	de saumon cuit OU	1 tasse
220 g	de saumon en conserve, égoutté*	7¾ oz
	(garder le liquide)	
3 tranches	de bacon haché en petits morceaux	3 tranches
125 ml	de cheddar	½ tasse
30 ml	d'échalote hachée fin	2 c. à soupe
3	oeufs	3
125 ml	de yogourt	½ tasse
250 ml	de crème 15 % et de liquide du saumon	1 tasse
2 ml	de sel	½ c. à thé
0,5 ml	de poivre blanc	⅛ de c. à thé
0,5 ml	de graines de fenouil moulues	⅛ de c. à thé
	paprika	

Tapisser de pâte une assiette à tarte de 23 cm (9 po) et faire cuire au four à 200°C (400°F) pendant 5 minutes. Réduire la température du four à 180°C (350°F). Faire frire les morceaux de bacon jusqu'à ce qu'ils soient croustillants; égoutter sur du papier absorbant. Émietter le saumon et répartir sur le fond de tarte. Couvrir le saumon de bacon, de fromage râpé et d'échalote. Battre les oeufs et ajouter le yogourt, la crème et l'assaisonnement sauf le paprika. Verser sur le saumon, saupoudrer de paprika et cuire au four pendant 45 minutes ou jusqu'à ce que le centre soit pris. Donne 6 portions.

* Pour varier, remplacer par du crabe, des crevettes ou du thon.

Raie à la portugaise

1 kg	d'ailerons de raie décongelés	2 lb
1	oignon moyen haché	1
1	gousse d'ail écrasée	1
1 ml	de thym	¼ de c. à thé
1 ml	de romarin	¼ de c. à thé
2 ml	de sel	½ c. à thé
0,5 ml	de poivre	⅛ de c. à thé
540 ml	de tomates étuvées en conserve	19 oz

Détailler les ailerons de raie en portions et disposer dans un plat à four peu profond, bien graissé. Saupoudrer d'oignon haché et couvrir du reste des ingrédients, mêlés ensemble. Faire chauffer le four à 180°C (350°F) et faire cuire pendant de 25 à 30 minutes ou jusqu'à ce que la raie soit cuite (quand les segments se détachent aisément). Donne 4 portions.

ÉPERLANS AU PARMESAN

1 kg	d'éperlan	2 livres
125 ml	de farine	½ tasse
2 ml	de sel	½ c. à thé
0,5 ml	de poivre	⅛ de c. à thé
1	oeuf	1
15 ml	d'eau	1 c. à soupe
125 ml	de craquelins («biscuits soda») émiettés	½ tasse
75 ml	de parmesan râpé	⅓ de tasse
2 ml	de sel	½ c. à thé
125 ml	de jus de citron	½ tasse
	huile de friture	

Nettoyer les éperlans et les désosser si on le désire, mais il n'est pas nécessaire de désosser, puisque les arêtes deviennent croustillantes après la cuisson. Mélanger la farine, le sel et le poivre dans un sac en papier propre. Dans un bol, battre l'oeuf, ajouter l'eau et mélanger.

Dans un deuxième bol, mélanger ensemble les craquelins émiettés, le parmesan et le sel. Tremper chaque éperlan dans le jus de citron, puis le secouer dans le sac de farine assaisonnée.

Tremper chaque éperlan dans le mélange d'oeuf, puis le recouvrir du mélange de chapelure et de fromage (le sac de farine assaisonnée peut être gardé et utilisé de nouveau). (Le jus de citron peut être gardé dans une bouteille séparée, au réfrigérateur, et utilisé à nouveau.)

Chauffer à peu près 0,6 cm (¼ po) d'huile à 180°C (350°F) dans une poêle à frire et faire cuire les éperlans de 2 à 3 minutes de chaque côté jusqu'à ce qu'ils soient dorés. Donne 6 portions.

Autres choix possibles: capelan, capucette ou eulachon.

Poivrons farcis aux fruits de mer (Illustration p. 194)

198 g	de thon[1] en conserve en miettes, égoutté	7 oz
500 ml	de riz[2] cuit	2 tasses
75 ml	d'oignon haché	⅓ de tasse
212 ml	de sauce aux tomates en boîte	7½ oz
1	oeuf bien battu	1
30 ml	de jus de citron	2 c. à soupe
5 ml	de sel	1 c. à thé
0,5 ml	de poivre	⅛ de c. à thé
0,5 ml	de romarin	⅛ de c. à thé
6	poivrons verts moyens	6
	parmesan râpé	

Couper l'extrémité de la queue des poivrons verts et retirer les graines et les membranes. Faire bouillir à demi les poivrons pendant 10 minutes et égoutter. Combiner le thon, le riz, l'oignon, la sauce aux tomates, le jus de citron, l'oeuf et l'assaisonnement et bien mélanger. Remplir les poivrons de ce mélange et saupoudrer le dessus de parmesan râpé. Disposer dans un plat à four graissé et cuire au four à 200°C (400°F) pendant 15 minutes. Donne 6 portions.

[1] Pour varier, utiliser du saumon ou du maquereau.
[2] On peut remplacer le riz par des pâtes alimentaires cuites.

Filets de corégone

250 ml	de filets de corégone cuits et émiettés	1 tasse
250 ml	de crème d'asperge, en conserve	1 tasse
3	jaunes d'oeufs, légèrement battus	3
125 ml	de craquelins (au bicarbonate de sodium) finement broyés	½ tasse
50 ml	d'oignon haché fin	¼ de tasse
30 ml	de persil haché fin	2 c. à soupe
30 ml	de jus de citron	2 c. à soupe
10 ml	de raifort préparé	2 c. à thé
10 ml	de moutarde préparée	2 c. à thé
2 ml	de sel	½ c. à thé
0,5 ml	de poivre	⅛ de c. à thé
3	blancs d'oeufs, battus en neige ferme	3

Mélanger tous les ingrédients sauf le blanc d'oeuf. Incorporer les blancs d'oeufs en neige ferme. Mettre le mélange dans une assiette à tarte de 23 cm (9 po) légèrement graissée et faire cuire au four à 180°C (350°F) pendant 45 minutes ou jusqu'à ce que le mélange soit pris. Donne de 3 à 4 portions.

Corégone savoureux au four (Illustration p. 203)

1 kg	de filets de corégone, détaillés en portions individuelles	2 lb
50 ml	de crème sure	¼ de tasse
50 ml	de fromage à la crème	¼ de tasse
15 ml	de mayonnaise	1 c. à soupe
5 ml	de jus de citron	1 c. à thé
5 ml	de sauce Worcestershire	1 c. à thé
2 ml	d'aneth séché	½ c. à thé
1	blanc d'oeuf	1
2 ml	de sel	½ c. à thé

Allumer le gril dans le four. Placer les filets sur une grille recouverte de papier d'aluminium et faire cuire à 12,5 cm (5 po) du gril pendant environ 6 minutes. Sortir du four. Défaire le fromage en crème et mêler avec tous les autres ingrédients sauf le blanc d'œuf jusqu'à obtention d'un mélange homogène. Battre le blanc d'œuf séparément jusqu'à ce qu'il forme des pics fermes, puis incorporer au mélange de fromage à la crème. Étendre ce mélange sur les filets et remettre sous le gril pendant de 3 à 4 minutes ou jusqu'à ce que ce soit gonflé et doré. Servir immédiatement. Donne de 4 à 6 portions.

Truite pochée au vin

4	truites arc-en-ciel de taille idéale pour la poêle	4
4 tranches minces	d'oignon	4 tranches minces
2 tranches minces	de citron	2 tranches minces
1 ml	de graines d'aneth	¼ de c. à thé
1 ml	de romarin	¼ de c. à thé
5 ml	de sel	1 c. à thé
2 ml	de grains de poivre	½ c. à thé
125 ml	de vin blanc sec	½ tasse
	eau	

Nettoyer les truites, les étêter, enlever la queue et les nageoires. Ajouter au vin l'oignon, le citron et l'assaisonnement, ainsi que suffisamment d'eau pour couvrir le poisson. Amener à ébullition, ajouter la truite, couvrir et laisser mijoter pendant de 10 à 15 minutes ou jusqu'à ce que ce soit cuit. Mettre le poisson sur un plat et retirer la peau. Servir chaud avec une sauce à la crème au vin (page 274) à base de liquide qui a servi à pocher le poisson, des pommes de terre nouvelles au beurre et du brocoli. Donne 4 portions.

ENTRÉES POUVANT SERVIR DE ෨PLAT PRINCIPAL෨

REPAS COMPLET DE SAUMON (Illustration p. 204)

1 kg	de filets ou de darnes de saumon	2 lb
6	tranches de bacon, hachées	6
4	tomates moyennes, pelées et tranchées	4
375 ml	de pommes de terre tranchées mince	1½ tasse
375 ml	de haricots verts frais, coupés en morceaux	1½ tasse
10 ml	de sel	2 c. à thé
1 ml	de poivre	¼ de c. à thé

Détailler le poisson en portions. Découper six morceaux de papier d'aluminium de 45 cm (18 po). Au centre de chacun, mettre une quantité égale de poisson, de bacon, de tomate, de pomme de terre et de haricots verts. Saupoudrer de sel et de poivre. Bien envelopper et sceller. Placer dans des braises chaudes* et faire cuire de 15 à 20 minutes. Servir chaud dans le papier d'aluminium. Donne 6 portions.

* Ou faire cuire au four à 230°C (450°F) pendant de 15 à 20 minutes.

OMBLE CHEVALIER EN GELÉE (Illustration p. 205)

Faire décongeler partiellement un om-
ble chevalier habillé, laver à fond à l'eau froide courante et éponger avec du
papier absorbant. Mesurer pour déterminer le temps de cuisson d'après la
règle générale, p. 108. Préparer suffisamment de court-bouillon n° 1 (pages
257 et 258) pour couvrir le poisson dans la casserole utilisée pour le pochage.
Envelopper l'omble d'étamine, en laissant dépasser les extrémités pour faire
des noeuds qui serviront de poignées. Assurez-vous que l'étamine est bien à
l'écart de la source de chaleur. Amener le court-bouillon à ébullition et
plonger le poisson dans le liquide. Retirer tout excédent ou rajouter du liquide
au besoin. Ramener à ébullition, réduire la chaleur et faire mijoter suivant la
règle générale pour le temps de cuisson. Une fois qu'il est cuit, retirer le
poisson au moyen des poignées d'étamine et enlever délicatement l'étamine.
Ôter la peau pendant que le poisson est encore chaud et faire refroidir sur le
plat de service. Réfrigérer jusqu'à ce qu'il soit tout à fait froid. Servir avec
sauce tartare, p. 274.

GELÉE

500 ml	d'eau	2 tasses
175 ml	de vin blanc sec	¾ de tasse
50 ml	de vinaigre blanc	¼ de tasse
1	petit oignon tranché	1
	les têtes de 2 branches de céleri	
	le zeste râpé et le jus de 1 citron	
1 feuille	de laurier	1 feuille
2 ml	de grains de poivre entiers	½ c. à thé
5 ml	de sel	1 c. à thé
3	enveloppes de gélatine sans saveur	3
2	blancs d'oeufs et leurs coquilles	2

Dans une grande marmite, faire chauffer tous les ingrédients, sauf la gélatine, les blancs d'oeufs et les coquilles. Laisser mijoter pendant environ 30 minutes. Couler le liquide, jeter les solides et remettre le liquide dans la marmite. Dissoudre la gélatine dans 50 ml (¼ tasse) d'eau froide et faire chauffer sur feu doux. Ajouter d'un trait continu au liquide, en brassant au fouet. Battre les blancs d'oeufs jusqu'à ce qu'ils soient légèrement mousseux. Ajouter les blancs d'oeufs et les coquilles émiettées (pour clarifier la gelée) au liquide, en fouettant jusqu'à consistance mousseuse. Amener à ébullition. Retirer du feu et laisser reposer de 10 à 15 minutes. Couler dans plusieurs épaisseurs d'étamine. La gelée devrait être claire comme le cristal. Pour glacer le poisson, laisser la gelée refroidir jusqu'à ce qu'elle commence à prendre. Décorer l'omble pendant que la gelée refroidit. Utiliser par exemple des radis, du concombre, de la courgette, des tranches minces de citron ou de lime, des olives noires ou farcies, des bandes de carottes ondulées, de blancs et des jaunes d'oeufs cuits dur hachés, du poisson et du persil, du cresson ou de l'aneth. Quand la gelée est refroidie au point de prendre, en recouvrir délicatement tout le poisson à la cuiller. Si elle a tendance à prendre trop vite, la remettre au feu et recommencer. Garnir de persil ou de cresson et de quartiers de citron ou de lime avant de servir.

Filets aux agrumes

1 kg	de filets de poisson*, frais ou congelés	2 lb
30 ml	de beurre ou de margarine	2 c. à soupe
50 ml	d'oignon haché	¼ de tasse
50 ml	de céleri haché	¼ de tasse
250 ml	de mie de pain grillée	1 tasse
125 ml	de quartiers d'orange ou de pamplemousse, en dés	½ tasse
10 ml	de persil haché	2 c. à thé
1 ml	de marjolaine	¼ de c. à thé
2 ml	de sel	½ c. à thé
0,5 ml	de poivre	⅛ de c. à thé
30 ml	de jus d'orange ou de pamplemousse	2 c. à soupe

Faire décongeler partiellement les filets s'il y a lieu et les séparer. Placer dans un plat à four graissé. Faire fondre le beurre et y attendrir l'oignon et le céleri. Retirer du feu et ajouter la mie de pain grillée, le pamplemousse, le persil, l'assaisonnement et le jus. Mélanger légèrement et étendre uniformément sur les filets. Faire chauffer le four à 230°C (450°F) et faire cuire de 12 à 15 minutes ou jusqu'à ce que le poisson soit cuit. Donne de 4 à 6 portions.

* On peut utiliser n'importe quel poisson à chair blanche.

FETTUCCINE AUX MYES

375 ml	de coques égouttées ou en boîte ou petites coques en boîte	12 oz
750 ml	de nouilles (fettuccine)	3 tasses
500 ml	de crème à fouetter	2 tasses
125 ml	de crème 15 %	½ tasse
50 ml	de vin blanc sec	¼ de tasse
5 ml	de sel	1 c. à thé
0,5 ml	de poivre	⅛ de c. à thé
1 ml	de romarin	¼ de c. à thé
125 ml	de parmesan râpé	½ tasse

Passer les myes et les couper. Si on utilise de petites myes, les égoutter mais les laisser entières.

Suivant le mode d'emploi donné sur le paquet, faire cuire les nouilles dans de l'eau bouillante salée à laquelle on a ajouté 15 ml (1 c. à soupe) d'huile. Passer dans un tamis et rincer sous de l'eau froide courante.

Dans une grande casserole amener la crème à fouetter et la crème 15 % à ébullition et faire bouillir rapidement de 4 à 5 minutes jusqu'à réduction aux ⅔. Ajouter le vin, le sel, le poivre et le romarin, et faire cuire 1 minute de plus. Ajouter le parmesan et les myes, puis les nouilles, et remuer au-dessus d'un feu moyen jusqu'à ce que la sauce commence à bouillir. Retirer et servir immédiatement. Donne 4 portions.

Autres choix possibles: homard, crevettes ou chair de crabe.

MORUE AU CARI

1 kg	de filets de morue*, frais ou congelés	2 lb
250 ml	d'oignon haché fin	1 tasse
30 ml	de beurre ou de margarine	2 c. à soupe
1 feuille	de laurier	1 feuille
1 ml	de thym séché	¼ de c. à thé
10 ml	de cari (ou plus, au goût)	2 c. à thé
30 ml	de farine	2 c. à soupe
250 ml	de bouillon de poisson ou de lait	1 tasse
50 ml	de crème à fouetter	¼ de tasse
5 ml	de sel	1 c. à thé
1 ml	de poivre	¼ de c. à thé

Faire décongeler partiellement les filets s'il y a lieu et les disposer sans les superposer dans un plat à four graissé. Faire fondre le beurre et y faire revenir l'oignon jusqu'à ce qu'il soit transparent. Ajouter les herbes et le cari, et faire chauffer en brassant pendant 5 minutes. Ajouter la farine, puis, graduellement, le bouillon de poisson ou le lait, et faire chauffer en brassant jusqu'à épaississement. Retirer la feuille de laurier, incorporer la crème et assaisonner au goût. Verser sur les filets et faire cuire au four à 230°C (450°F) pendant de 15 à 20 minutes ou jusqu'à ce que le poisson soit cuit dans sa partie la plus épaisse. Servir sur du riz avec des légumes qu'on a légèrement fait revenir à la poêle. Donne de 6 à 8 portions.

* On peut utiliser les filets de n'importe quel poisson à chair ferme.

CREVETTES AU CARI

500 g	de crevettes fraîches, cuites	1 lb
50 ml	de jus de lime ou de citron frais	¼ de tasse
50 ml	d'eau	¼ de tasse
5 ml	de sel	1 c. à thé
30 ml	d'huile végétale	2 c. à soupe
175 ml	d'oignon haché fin	¾ de tasse
250 ml	de céleri haché fin	1 tasse
15 ml	de ciboulette hachée	1 c. à soupe
2	tomates pelées et hachées	2
10 ml	de cari (ou plus, au goût)	2 c. à thé
250 ml	de bouillon de poisson (ou de poulet)	1 tasse
50 ml	de farine	¼ de tasse
1 l	de riz cuit	4 tasses

Mélanger jus de lime, l'eau et le sel. Ajouter les crevettes et laisser mariner pendant 20 minutes. Couler et garder le liquide. Faire chauffer l'huile d'olive dans la poêle, ajouter l'oignon, le céleri, la ciboulette et le cari, et cuire pendant 5 minutes sans faire brunir. Ajouter les tomates et cuire une minute de plus. Ajouter la farine et brasser. Verser graduellement le bouillon de poisson, le jus de lime et l'eau et brasser jusqu'à épaississement. Incorporer les crevettes et faire chauffer jusqu'à ce qu'elles soient chaudes. Servir immédiatement sur du riz avec des condiments tels que des bananes tranchées, de la noix de coco, des tomates et des oignons marinés, des raisins secs et des morceaux d'ananas. Donne 4 portions.

Filets d'aiguillat à la poêle

À la poêle: Détailler les filets en portions avant la friture.

750 g	de filets d'aiguillat*	1½ lb
500 ml	de chapelure	2 tasses
5 ml	de sel	1 c. à thé
1 ml	de poivre	¼ de c. à thé
1 ml	d'origan	¼ de c. à thé
1 ml	d'aneth	¼ de c. à thé
2	oeufs légèrement battus	2
30 ml	d'eau	2 c. à soupe

Retirer les filets d'aiguillat de la marinade 30 minutes avant de les faire frire et les éponger avec du papier absorbant. Mêler la chapelure et l'assaisonnement ou utiliser les panures indiquées aux pages 261 et 262. Battre les oeufs et l'eau légèrement. Tremper les filets d'abord dans le mélange d'oeufs, puis les passer dans la chapelure en pressant avec les doigts pour obtenir un enrobage uniforme. Suivre les instructions pour la friture à la poêle, page 110. Donne 4 portions.

* Faire mariner pendant toute la nuit (voir page 21). L'aiguillat frit est particulièrement savoureux.

FILETS D'AIGUILLAT EN PLEINE FRITURE

Pleine friture: Détailler les filets en portions avant la friture.

750 g	de filets d'aiguillat*	1½ lb
175 ml	de farine	¾ de tasse
1	oeuf	1
2 ml	de sel	½ c. à thé
125 ml	d'eau	½ tasse
0,5 ml	de poivre	⅛ de c. à thé
	huile à frire	

Battre la farine, l'oeuf, le sel et l'eau jusqu'à l'obtention d'un mélange homogène et lisse. Retirer les filets d'aiguillat de la marinade 30 minutes avant de les faire frire et les éponger avec du papier absorbant. Mettre les filets dans un sac de farine assaisonnée et bien agiter jusqu'à ce qu'ils soient bien enrobés, avant de les tremper dans la pâte à frire. Faire frire les filets dans de l'huile chauffée à 180°C (365°F) pendant de 3 à 5 minutes, selon leur épaisseur. On peut aussi utiliser une autre pâte à frire (voir pages 260 à 262). Donne 4 portions.

* Faire mariner pendant toute la nuit (voir page 21). L'aiguillat frit est particulièrement savoureux.

Filets de sole bonne femme

1 kg	de filets de sole frais ou congelés	2 lb
1	petit oignon tranché mince	1
½	citron tranché mince	½
2 ml	de sel	½ c. à thé
2 ml	de grains de poivre entiers	½ c. à thé
250 ml	de vin blanc sec	1 tasse
	suffisamment d'eau pour couvrir	
250 ml	de champignons tranchés	1 tasse
50 ml	de beurre	¼ de tasse
50 ml	de farine	¼ de tasse
175 ml	de crème 15 %	¾ de tasse
15 ml	de jus de citron	1 c. à soupe
	sel et poivre au goût	

Mettre le vin, le citron, l'oignon, le sel et les grains de poivre dans une grande poêle avec suffisamment d'eau pour couvrir les filets et amener à ébullition. Disposer les filets dans le liquide (ajouter de l'eau bouillante au besoin) sans les superposer et laisser mijoter suivant la règle générale pour le temps de cuisson. Retirer les filets et les placer dans un plat à four peu profond. Couler le liquide. Le réduire à 175 ml (¾ de tasse) en le faisant bouillir à feu vif. Dans une autre poêle, faire frire les champignons dans le beurre fondu pendant 2 ou 3 minutes. Ajouter la farine et verser graduellement le court-bouillon et la crème; brasser sur feu moyen jusqu'à épaississement. Ajouter le jus de citron et assaisonner au goût. Égoutter tout le liquide qui se serait formé autour des filets. Napper de sauce en les recouvrant complètement. Mettre le plat au four à environ 10 à 12 cm (de 5 à 6 po) de la source de chaleur et faire griller jusqu'à ce que la sauce commence à brunir, soit pendant de 2 à 3 minutes. Donne 4 portions.

FILETS SUPRÊME

1 kg	de filets de sole* frais ou congelés	2 lb
30 ml	de beurre	2 c. à soupe
2 ml	de sel	½ c. à thé
0,5 ml	de poivre	⅛ de c. à thé
4	échalotes hachées mince	4
20 ml	d'herbes fraîches émincées (d'estragon, cerfeuil, etc.)	4 c. à thé
250 ml	de mie de pain	1 tasse
75 ml	de vermouth sec ou de vin blanc sec	⅓ de tasse
50 ml	de beurre	¼ de tasse

Décongeler partiellement les filets s'il y a lieu. Faire fondre le beurre dans un plat à four. Saler et poivrer les deux côtés des filets et les tremper dans le beurre. Parsemer d'herbes et d'échalote le fond du plat et y disposer les filets sans les superposer. Couvrir de mie de pain. Arroser de vermouth et parsemer de noisettes de beurre (au total 50 ml ou ¼ de tasse). Faire cuire au four sans couvrir à 190°C (375°F) jusqu'à ce que la mie de pain brunisse et que les filets soient cuits (de 15 à 20 minutes). Donne de 4 à 6 portions.

* On peut utiliser des filets de n'importe quel poisson à chair blanche.

PÂTÉ DE POISSON (Illustration p. 206)

500 g	de filet de poisson	1 livre
5 ml	de sel	1 c. à thé
375 ml	d'eau bouillante	1½ tasse
250 ml	de pommes de terre en cubes	1 tasse
250 ml	de carottes en dés	1 tasse
250 ml	de céleri tranché	1 tasse
125 ml	d'oignon haché	½ tasse
125 ml	de poivron vert haché	½ tasse
125 ml	de tomates hachées	½ tasse
50 ml	de champignons tranchés	¼ de tasse
30 ml	de beurre	2 c. à soupe
30 ml	de farine	2 c. à soupe
5 ml	d'origan	1 c. à thé
5 ml	de sel	1 c. à thé
1 ml	de poivre	¼ de c. à thé
1 boîte	de pâte à tarte suffisante pour une croûte ou	1 boîte
500 ml	de pommes de terre écrasées	2 tasses

Couper les filets en cubes de 2,5 cm (1 pouce). Ajouter le sel à l'eau bouillante, puis les pommes de terre, le céleri, les carottes, l'oignon et le poivron vert. Faire mijoter pendant 10 minutes ou jusqu'à ce que les légumes soient tendres et croustillants. Passer et réserver le bouillon; s'il y a lieu, ajouter de l'eau pour obtenir 375 ml (1 tasse et demie). Mélanger ensemble les légumes égouttés, la tomate, les champignons et le poisson; placer dans un plat creux de deux litres (2 pintes).

Faire fondre le beurre dans une casserole et y ajouter la farine et l'origan. Ajouter graduellement le bouillon réservé, en remuant sur feu moyen jusqu'à épaississement. Ajouter le sel et le poivre. Verser cette sauce sur le poisson et les légumes dans la casserole. Ouvrir les biscuits réfrigérés et les disposer au-dessus de la casserole.

Chauffer le four à 200°C (400°F) et faire cuire de 20 à 25 minutes jusqu'à ce que les biscuits soient dorés. Donne de 4 à 6 portions.

Autres choix possibles: morue, flétan, sébaste, aiglefin ou corégone de lac.

POISSON POCHÉ AU LAIT

500 g	de filets de poisson[1], frais, congelés ou fumés	1 lb
2 ml	de sel[2]	½ c. à thé
250 ml	de lait	1 tasse
30 ml	de beurre ou de margarine	2 c. à soupe
30 ml	de farine	2 c. à soupe
0,5 ml	de poivre	⅛ de c. à thé
5 ml	de jus de citron	1 c. à thé
30 ml	de ciboulette hachée	2 c. à soupe

Décongeler partiellement les filets s'il y a lieu et les séparer. Faire chauffer dans le lait salé dans une marmite peu profonde, presque jusqu'au point d'ébullition, et laisser mijoter suivant la règle générale pour le temps de cuisson. Retirer du feu. Prendre délicatement les filets et les placer sur un plat chaud, puis garder chaud. Faire fondre le beurre et ajouter la farine et le poivre. Verser graduellement le lait chaud et brasser jusqu'à épaississement. Ajouter le jus de citron et 15 ml (1 c. à soupe) de ciboulette hachée. Napper le poisson de sauce. Parsemer du reste de la ciboulette. Servir immédiatement. Donne 3 portions.

[1] Tout poisson à chair blanche.
[2] Avec du poisson fumé, omettre le sel.

MOUSSE D'AIGLEFIN
ET DE CONCOMBRE (CHAUDE)

500 g	de filets d'aiglefin* frais ou congelés	1 lb
625 ml	de champignons tranchés mince	2½ tasses
500 ml	de concombre pelé et coupé en dés	2 tasses
15 ml	de raifort préparé	1 c. à soupe
5 ml	de jus de citron	1 c. à thé
5 ml	de persil haché fin	1 c. à thé
1 ml	de cerfeuil	¼ de c. à thé
1 ml	de paprika	¼ de c. à thé
30 ml	de beurre	2 c. à soupe
30 ml	de farine	2 c. à soupe
175 ml	de crème 15%	¾ de tasse
2	oeufs légèrement battus	2
2 ml	de sel	½ c. à thé
0,5 ml	de poivre	⅛ de c. à thé
	persil et olives	

Dépiauter le poisson et le hacher grossièrement. Éponger avec du papier absorbant pour enlever l'humidité. Dans un grand bol, mettre le poisson, les champignons, le concombre, le raifort, le jus de citron et les herbes. Bien mêler. Faire fondre le beurre, ajouter la farine en brassant, verser graduellement la crème et cuire à feu moyen en brassant jusqu'à ce que le mélange soit lisse et commence à épaissir. Laisser refroidir pendant 2 minutes, puis ajouter les oeufs et bien battre. Assaisonner au goût. Ajouter le mélange de poisson et de légumes et bien brasser. Verser la mousse dans un moule bien graissé, couvrir de papier d'aluminium et cuire au four pendant 40 minutes à 190°C (375°F). Retirer le papier, égoutter doucement tout surplus de liquide et remettre au four, sans papier d'aluminium, pendant 20 minutes de plus. Retirer du four et laisser reposer quelques minutes. Placer une assiette sur le dessus, inverser et démouler très délicatement. Garnir d'olives et de persil. Servir avec du riz et une sauce au citron si on le désire. Donne 4 portions.

* On peut remplacer l'aiglefin par des filets de n'importe quel poisson à chair ferme.

Filets aux herbes

500 g	de filets de poisson frais ou congelés	1 lb
1 ml	de sel	¼ de c. à thé
0,5 ml	de poivre	⅛ de c. à thé
50 ml	d'oignon haché	¼ de tasse
2	tomates tranchées	2
2 ml	de basilic	½ c. à thé
30 ml	de margarine ou de beurre fondu	2 c. à soupe

Décongeler partiellement les filets s'il y a lieu et les séparer. Les placer dans un plat à four graissé peu profond. Saler, poivrer et parsemer d'oignon. Couvrir les filets de tranches de tomates, puis saupoudrer de basilic. Arroser les filets et les tomates d'un peu de beurre fondu. Cuire au four à 230°C (450°F) en suivant la règle générale pour le temps de cuisson. Donne de 2 à 3 portions.

HOMARD

HOMARD GRILLÉ

Placer à plat le homard vivant, carapace en dessous, le fendre dans le sens de la longueur, puis retirer la veine intestinale et l'estomac. Enlever la pâte verte et le corail (garder pour servir en hors-d'oeuvre ou jeter). En maintenant le côté chair sur le dessus, badigeonner de beurre fondu et assaisonner légèrement. Sur un gril-lèchefrite, faire griller à 10 cm (4 po) de la source de chaleur pendant de 10 à 12 minutes ou jusqu'à ce qu'il soit légèrement doré.

Servir avec du beurre fondu et des quartiers de citron.

QUEUES DE HOMARD GRILLÉES (Illustration p. 215)

Avec des ciseaux de cuisine, couper le long du dessous de la queue de homard décongelée et couper les nombreuses pattes le long des côtés. Enlever et jeter la carapace inférieure molle. Plier la carapace de la queue vers l'arrière et casser ainsi quelques joints pour empêcher la queue de se replier sur elle-même. Disposer sur un gril-lèchefrite, carapace sur le dessus, et faire griller à de 10 à 12,5 cm (de 4 à 5 po) de la source de chaleur pendant 4 minutes. Retourner; assaisonner légèrement et badigeonner de beurre fondu, puis continuer de griller pendant environ 5 minutes. Servir avec des quartiers de citron et du beurre fondu.

BEURRE AUX OEUFS DE CORAIL

50 ml	de beurre mou	¼ de tasse
15 ml	d'oeufs de corail	1 c. à soupe
5 ml	de persil haché fin	1 c. à thé
1 ml	de sel	¼ de c. à thé

Mélanger tous les ingrédients et refroidir avant de servir. Verser sur du homard grillé, des darnes de poisson ou des filets.

TOMALI À TARTINER

30 ml	de Tomali	2 c. à soupe
5 ml	de mayonnaise	1 c. à thé
1 ml	de raifort	¼ de c. à thé

Mélanger tous les ingrédients et servir sur des craquelins comme hors-d'oeuvre.

CRÊPES DE HOMARD SUPRÊME (Illustration p. 216)

CRÊPES

250 ml	de farine	1 tasse
2	oeufs	2
300 ml	de lait	1¼ tasse
2 ml	de sel	½ c. à thé

Battre ensemble la farine, les oeufs, le lait et le sel jusqu'à consistance lisse. Faire frire les crêpes, une à la fois, dans une poêle légèrement graissée, en utilisant 50 ml (3 c. à soupe) de pâte par crêpe. Verser la pâte dans la poêle et remuer celle-ci rapidement pour étendre la pâte en un cercle mince et uniforme d'environ 15 cm (6 po) de diamètre. Faire dorer légèrement, puis retourner et faire dorer de l'autre côté. On peut les empiler en insérant entre chacune un linge ou un papier ciré. Donne environ 12 crêpes.

GARNITURE

500 g	de chair de homard*	1 lb
50 ml	de beurre ou de margarine	¼ de tasse
50 ml	d'échalote hachée	¼ de tasse
50 ml	de poivron vert haché fin	¼ de tasse
250 ml	de champignons hachés fin	1 tasse
50 ml	de farine	¼ de tasse
250 ml	de lait	1 tasse
50 ml	de vin blanc sec	¼ de tasse
15 ml	de jus de citron	1 c. à soupe
5 ml	de sel	1 c. à thé
1 ml	de poivre	¼ de c. à thé
2 ml	d'aneth	½ c. à thé

Couper ou briser la chair de homard en bouchées. Faire fondre le beurre et faire revenir l'échalote, le poivron vert et les champignons pendant 2 minutes. Ajouter la farine et l'assaisonnement, puis verser lentement le lait et chauffer en brassant sans arrêt jusqu'à ce que la sauce épaississe. Ajouter le vin, le jus de citron et le homard. À l'aide d'une cuiller, mettre 50 ml (3 c. à soupe) de garniture dans chaque crêpe, puis rouler en fermant les bouts. Disposer les crêpes dans un plat à four peu profond, légèrement graissé, et faire cuire au four à 180°C (350°F) pendant de 10 à 15 minutes. Réchauffer la sauce qui reste, éclaircir avec du lait ou de la crème sure au besoin et servir séparément pour rajouter sur les crêpes si on le désire.

* On peut remplacer le homard par du crabe, des crevettes, des huîtres, des myes, du saumon ou du thon en conserve.

Barquettes de homard

500 g	de chair de homard* cuite	1 lb
4	grosses courgettes	4
1	oeuf légèrement battu	1
30 ml	de mayonnaise	2 c. à soupe
50 ml	d'échalote hachée fin	¼ de tasse
50 ml	de mozzarella râpé	¼ de tasse
30 ml	de persil haché fin	2 c. à soupe
2 ml	de sel	½ c. à thé
0,5 ml	de poivre	⅛ de c. à thé
1 ml	d'origan	¼ de c. à thé
30 ml	de piment de la Jamaïque, haché fin	2 c. à soupe

Laver les courgettes et couper les extrémités. Cuire, entières, dans l'eau salée bouillante pendant 5 minutes. Couper en deux dans le sens de la longueur. Retirer la pulpe de façon à former des barquettes. Hacher la pulpe très fin et mêler avec tous les autres ingrédients. Empiler légèrement dans les barquettes et placer dans un plat à four légèrement graissé. Saupoudrer de:

50 ml	de chapelure	¼ de tasse
15 ml	de beurre fondu	1 c. à soupe

Faire cuire au four à 180°C (350°F) pendant de 20 à 25 minutes ou jusqu'à ce que les barquettes soient légèrement dorées.

S'il s'agit d'un hors-d'oeuvre, couper les barquettes en deux et servir avec un quartier de citron. Servies comme plat principal, on peut compter deux barquettes par personne. Donne 16 portions en hors-d'oeuvre ou 4 portions comme plat principal.

* Les crevettes, la chair de crabe et les pétoncles conviennent aussi à cette recette.

SAUMON DU PACIFIQUE WELLINGTON *(Recette pp. 230-231)*

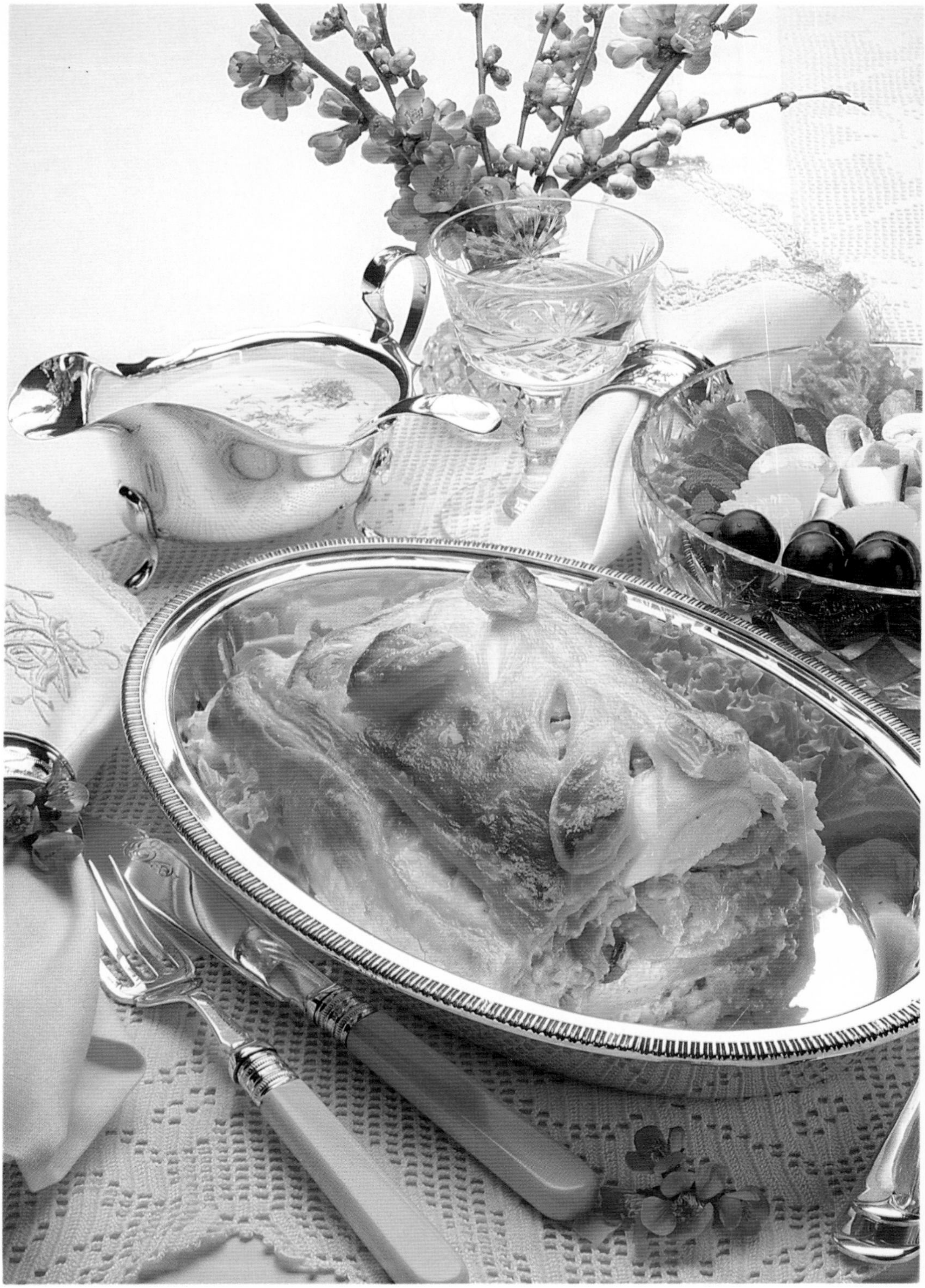

MAQUEREAU GRILLÉ À LA MOUTARDE

2	maquereaux* entiers (environ 1 kg [2 lb] chacun), décongelés s'il y a lieu	2
30 ml	de beurre fondu	2 c. à soupe
15 ml	de persil haché	1 c. à soupe
5 ml	de sel	1 c. à thé
	grains de poivre	
5 ml	de moutarde préparée	1 c. à thé
0,5 ml	d'aneth	⅛ de c. à thé
15 ml	de jus de citron	1 c. à soupe
1	citron tranché	1

Désosser et fileter le maquereau. Rincer à l'eau froide courante et éponger avec du papier absorbant. Placer les filets, la peau en dessous, sur un gril-lèchefrite graissé. À 15 ml (1 c. à soupe) de beurre fondu, ajouter le persil, le sel et le poivre. Badigeonner les filets de ce mélange avant de les faire griller à 7,5 cm (3 po) de la source de chaleur pendant environ 5 minutes. Mélanger le reste du beurre avec la moutarde, l'aneth et le jus de citron. Verser sur les filets et griller 5 minutes de plus. Garnir de quartiers de citron et servir chaud. Donne 4 portions.

* Le hareng, le gaspareau, le thon frais et le cisco peuvent remplacer le maquereau.

Filets de Sébaste aux Agrumes

500 g	de filets de sébaste frais ou congelés	1 lb
50 ml	de margarine ou de beurre fondu	¼ de tasse
15 ml	de jus d'orange ou de citron	1 c. à soupe
5 ml	de sel	1 c. à thé
1 ml	de graines de fenouil moulues	¼ de c. à thé
15 ml	de zeste de citron ou d'orange grossièrement râpé	1 c. à soupe
3	tranches d'orange ou de citron, coupées en deux	3
	persil	

Décongeler partiellement les filets s'il y a lieu et les séparer. Les placer, peau en dessous, dans un plat à four peu profond, bien graissé. Mélanger le beurre fondu, le jus d'orange ou de citron, le fenouil et le sel. Verser sur les filets. Parsemer de zeste râpé. Faire cuire au four à 230°C (450°F) en suivant la règle générale pour le temps de cuisson. Servir décoré de tranches d'orange ou de citron et de persil. Donne de 2 à 3 portions.

Saumon du Pacifique Wellington (Illustration p. 225)

1 kg	de filets de saumon	2 lb
75 ml	de crème à fouetter	⅓ de tasse
2 ml	de sel	½ c. à thé
0,5 ml	de poivre	⅛ de c. à thé
125 ml	de crème à fouetter	½ tasse
1	oignon moyen haché fin	1
30 ml	de beurre	2 c. à soupe
125 ml	de champignons tranchés	½ tasse
	beurre manié*	
10 ml	de jus de citron	2 c. à thé
1 ml	de sel	¼ de c. à thé
une pincée	de poivre	une pincée
5	oeufs cuits dur, coupés en deux sur la longueur	5
1	oeuf battu	1
	assaisonnement	
2 × 215 g	de pâte feuilletée (assez pour deux abaisses)	2 × 7 oz

*BEURRE MANIÉ

15 ml	de farine	1 c. à soupe
15 ml	de beurre non salé	1 c. à soupe
1 ml	de sel	¼ de c. à thé
	poivre fraîchement moulu	

Bien mélanger tous les ingrédients. Diviser le saumon en portions de 750 g et de 250 g (1½ lb et ½ lb). Passer la portion de 250 g (½ lb) au hachoir à viande (ou hacher fin) et mélanger avec 75 ml (⅓ de tasse) de crème à fouetter. Assaisonner au goût et mettre de côté. Couper la portion de 750 g (1½ lb) de saumon en tranches très minces.

Faire sauter l'oignon dans 15 ml (1 c. à soupe) de beurre jusqu'à ce qu'il soit tendre, mais sans le faire brunir. Mettre de côté. Faire sauter les champignons dans les 15 ml (1 c. à soupe) de beurre qui restent. Ajouter les 125 ml (½ tasse) de crème à fouetter et faire réduire le liquide de moitié en brassant fréquemment. Incorporer le beurre manié et laisser mijoter 5 minutes. Ajouter le jus de citron et assaisonner au goût. Mettre le mélange de champignons de côté.

Rouler la pâte feuilletée en deux abaisses de 30 cm × 15 cm (12 po × 6 po). Placer une abaisse sur une lèchefrite graissée. Disposer en couche la moitié des tranches de saumon dans le centre de la pâte et recouvrir des oignons sautés, puis de la moitié du mélange de champignons. Couvrir du reste des tranches de saumon. Sur le dessus, disposer en deux rangées les moitiés d'oeufs cuits dur. Étendre le reste du mélange de champignons. Couvrir du mélange de saumon et de crème. Recouvrir de la deuxième abaisse, badigeonner les bords d'oeuf battu et bien sceller. Badigeonner le dessus d'oeuf battu et décorer avec une fourchette en faisant plusieurs trous dans la pâte. Faire cuire au four à 200°C (400°F) pendant 25 minutes. Servir avec une béchamel au sherry et aux champignons (page 274). Donne de 8 à 10 portions.

PAELLA VALENCIENNE

250 g	de saucisse espagnole douce ou italienne épicée	½ livre
12	petites coques dans l'écaille	12
12	moules dans l'écaille	12
50 ml	d'huile d'olive	¼ de tasse
8 morceaux	de pilon de poulet ou de cuisse	8 morceaux
1	gros oignon haché grossièrement	1
2	tomates pelées, égrainées, en cubes	2
1	gousse d'ail hachée	1
30 ml	de piment en conserve haché	2 c. à soupe
5 ml	de sel	1 c. à thé
1 ml	de paprika	¼ de c. à thé
1 ml	de safran	¼ de c. à thé
375 ml	de riz à long grain	1½ tasse
280 g	de petits pois	10 onces
500 g	de haricots verts	1 livre
750 ml	de vin blanc sec	3 tasses
1 500 kg	de grosses crevettes écaillées et nettoyées	3 livres

Faire pocher les saucisses dans l'eau pendant environ 15 minutes ou jusqu'à ce qu'elles soient cuites. Retirer, laisser refroidir et couper en tranches.

Faire cuire à la vapeur les coques et les moules jusqu'à ce que les écailles s'ouvrent. Égoutter et réserver 250 ml de liquide (1 tasse).

Faire chauffer l'huile d'olive dans un large poêlon et cuire le poulet sur feu moyen en le tournant pour faire dorer tous les côtés. Retirer le poulet, faire sauter l'oignon et l'ail dans la graisse jusqu'à ce que l'oignon soit transparent. Ajouter les tomates, le piment, le sel, le paprika et le safran, et remuer à feu moyen pendant une minute de plus. Ajouter le riz et remuer jusqu'à ce qu'il soit enrobé de l'huile.

Ajouter les petits pois et les haricots verts, et remuer pour mélanger. Verser ce mélange dans une poêle à paella ou un plat creux, puis verser le vin et le liquide mis de côté sur le mélange de riz et de légumes. Disposer les crevettes, les saucisses et le poulet sur le riz et les légumes. Dans un four préchauffé à 175°C (350°F), faire cuire la paella couverte pendant à peu près 1 heure. Enlever et faire bouffer le riz avec une fourchette.

Placer les coques et les moules sur le dessus, et remettre au four pour 10 minutes supplémentaires. Servir dans le plat. Donne 8 portions.

FILETS POLYNÉSIENS

1 kg	de filets de poisson frais ou congelés	2 lb
15 ml	de beurre	1 c. à soupe
5 ml	de sel	1 c. à thé
une pincée	de poivre	une pincée
50 ml	de jus de citron	¼ de tasse
30 ml	de beurre	2 c. à soupe
250 ml	de céleri tranché en diagonale	1 tasse
125 ml	de poivron vert, haché mince	½ tasse
450 ml	de fèves germées en boîte, égouttées	15 oz
15 ml	de sauce au soya	1 c. à soupe
15 ml	de mélasse	1 c. à soupe
125 ml	de bouillon de poulet	½ tasse
15 ml	de fécule de maïs	1 c. à soupe
5 ml	de poudre de gingembre	1 c. à thé
15 ml	de zeste d'orange râpé fin	1 c. à soupe
50 ml	de concentré de jus d'orange congelé	3 c. à soupe

Décongeler partiellement les filets s'il y a lieu et les séparer. Mesurer la partie la plus épaisse des filets. Placer sur un papier d'aluminium graissé; parsemer de noisettes de beurre, saler, poivrer et arroser de jus de citron. Faire cuire au four sur une lèchefrite à 230°C (450°F) en suivant la règle générale pour le temps de cuisson. Mettre le poisson dans un plat de service. Faire sauter le céleri et le poivron vert dans le beurre fondu jusqu'à ce qu'ils soient tendres. Ajouter les fèves germées, la sauce soya, la mélasse et le gingembre. Dissoudre la fécule de maïs dans un peu de bouillon de poulet. Ajouter le bouillon de poulet et le jus d'orange au mélange de légumes. Chauffer presque jusqu'à ébullition. Ajouter la fécule de maïs et brasser jusqu'à obtention d'un mélange clair et épais. En couvrir les filets. Parsemer de zeste d'orange. Donne 6 portions.

Vivaneau en crème au fromage

500 g	de vivaneau* cuit à la vapeur et émietté	2 tasses
30 ml	d'oignon émincé	2 c. à soupe
15 ml	de persil haché fin	1 c. à soupe
8 tranches	de pain beurré, coupé en cubes	8 tranches
250 ml	de cheddar râpé	1 tasse
3	oeufs légèrement battus	3
425 ml	de lait	1¾ tasse
2 ml	de sauce Worcestershire	½ c. à thé
15 ml	de jus de citron	1 c. à soupe
2 gouttes	de sauce Tabasco	2 gouttes
5 ml	de sel	1 c. à thé
0,5 ml	de poivre blanc	⅛ de c. à thé

Faire cuire les filets de vivaneau à la vapeur (voir page 110), les désosser et les émietter. Mélanger avec l'oignon et le persil. Mettre la moitié des cubes de pain, du fromage, du mélange de poisson, des oeufs et du lait dans le mélangeur et bien mélanger à haute vitesse. Vider dans un bol et répéter avec l'autre moitié en ajoutant les assaisonnements. Combiner les deux et verser dans une casserole ou un plat à soufflé graissé. Faire cuire au four à 180°C (350°F) pendant une heure ou jusqu'à ce que le centre soit pris. Donne de 3 à 4 portions (au mélangeur).

* On peut aussi utiliser des filets de n'importe quel poisson à chair blanche.

Maquereau rôti et sauce au vin

3 gros ou 6 petits	maquereaux*, habillés et désossés	3 gros ou 6 petits
	sel, poivre et jus de citron pour assaisonner	
125 ml	d'oignon haché	½ tasse
500 ml	de champignons tranchés	2 tasses
1	gousse d'ail écrasée	1
50 ml	de beurre	¼ de tasse
15 ml	de farine	1 c. à soupe
2 ml	de sel	½ c. à thé
125 ml	de vin blanc sec	½ tasse
125 ml	de bouillon de poulet	½-tasse

Assaisonner légèrement les cavités de sel et de poivre, et placer chaque maquereau, cavité vers le bas, sur une claie dans un plat à four. Arroser l'extérieur de jus de citron, saler et poivrer. Faire cuire au four à 230°C (450°F) en suivant la règle générale pour le temps de cuisson. Quand le poisson est cuit, le retirer du four et le dépiauter. Garder chaud en préparant la sauce. Faire sauter l'oignon et l'ail dans le beurre jusqu'à ce que l'oignon soit transparent; ajouter les champignons et faire sauter encore 2 minutes. Ajouter la farine et le sel, puis, graduellement, le vin et le bouillon de poulet, et faire chauffer à feu moyen en brassant jusqu'à épaississement. Verser la sauce sur le poisson et servir immédiatement.

* Le hareng, le gaspareau ou l'alose peuvent remplacer le maquereau.

DARNES DE SAUMON À L'ORIENTALE (Illustration p. 226)

6	darnes ou filets de saumon, de 3,75 cm (1½ po) d'épaisseur	6
125 ml	de sauce au soya japonaise	½ tasse
50 ml	de cassonade	¼ de tasse
250 ml	de vin apéritif (Dubonnet, Saint-Raphaël, etc.)	1 tasse

Mélanger tous les ingrédients dans un grand plat. Faire mariner les darnes de saumon pendant au moins une heure en les retournant occasionnellement. Griller le saumon sur le gril à environ 10 cm (4 po) des braises chaudes. Retourner deux ou trois fois et badigeonner de marinade. Cuire pendant environ 7 minutes de chaque côté ou jusqu'à ce que la chair soit opaque au centre. Donne 6 portions.

BROCHETTES DE FRUITS DE MER (Illustration p. 227)

500 g	de fruits de mer (filets frais ou congelés de saumon, de flétan ou d'autre poisson à chair blanche, huîtres, crevettes, pattes de crabe, etc.)	1 lb
12 morceaux	de poivron vert coupé en carrés de 3,75 cm (1½ po)	12 morceaux
12	tomates cerises	12
12	têtes de champignon	12
3 tranches	de bacon en morceaux	3 tranches
50 ml	de jus de citron	¼ de tasse
50 ml	de beurre fondu	¼ de tasse
	sel et poivre	

Détailler les filets en cubes de 3,75 cm (1½ po). Piquer en alternant, avec des brochettes bien graissées, le poisson, les légumes* et le bacon. Mélanger le jus de citron et le beurre fondu, et en badigeonner les brochettes. Saupoudrer légèrement de sel et de poivre. Placer sur une lèchefrite recouverte de papier d'aluminium et faire griller à de 7,5 à 10 cm (de 3 à 4 po) de la source de chaleur (ou sur barbecue) pendant de 10 à 12 minutes en tournant une ou deux fois pour assurer une cuisson uniforme. Servir sur du riz cuit à la vapeur. Donne 3 ou 4 portions.

* Faire blanchir pendant une minute tous les légumes croustillants, comme les poivrons verts, les champignons et les morceaux de courgette, pour éviter qu'ils éclatent et tombent pendant la cuisson.

RAIE AU BEURRE NOIR (Illustration p. 228)

Ce sont les ailerons de la raie qu'on utilise généralement pour la cuisson. La chair est très gélatineuse et sa saveur est délicate et caractéristique. Si les ailerons sont grands, détaillez-les en portions. Autrement, on peut les faire cuire entiers. Compter 500 g (1 lb) pour deux portions.

COURT-BOUILLON

1 l	d'eau	1 pinte
50 ml	de vinaigre de vin ou de cidre	3 c. à soupe
5 ml	de sel	1 c. à thé

Utiliser suffisamment de liquide pour couvrir tout juste les ailerons. Amener le court-bouillon à ébullition, y plonger les ailerons et les pocher en les laissant mijoter selon la règle générale pour le temps de cuisson. Retirer, mettre dans un plat de service et garder chaud.

BEURRE NOIR

50 ml	de beurre	¼ de tasse
10 ml	de vinaigre de vin ou de cidre	2 c. à thé
30 ml	de câpres hachées	2 c. à soupe
	assaisonnement au goût	

Faire dorer le beurre sur feu moyen. Ajouter le vinaigre de vin ou de cidre et les câpres. Saler et poivrer. Déposer à la cuiller sur le poisson pendant que le mélange est très chaud et servir immédiatement.

REMARQUE: On peut remplacer le vinaigre et les câpres par du jus de citron et du persil haché fin.

Calmar frit à la chinoise

750 g	de cônes de calmar, frais ou congelés, nettoyés	1½ lb
30 ml	d'huile	2 c. à soupe
1	gousse d'ail écrasée	1
5 ml	de gingembre moulu	1 c. à thé
1	petit oignon tranché mince	1
250 ml	de champignons tranchés	1 tasse
250 ml	de céleri tranché	1 tasse
125 ml	de poivron vert coupé en bandes minces	½ tasse
15 ml	de fécule de maïs	1 c. à soupe
30 ml	de sauce au soya	2 c. à soupe
5 ml	de sucre	1 c. à thé
5 ml	de vinaigre blanc	1 c. à thé
175 ml	de bouillon de boeuf (1 cube)	1¾ tasse
2 ml	de sel	½ c. à thé
1 ml	de poivre	¼ de c. à thé

Mettre les cônes de calmar dans suffisamment d'eau salée bouillante pour les couvrir et les faire bouillir pendant une heure ou à l'autoclave pendant 5 minutes. Couper en bandes minces. Faire chauffer l'huile dans un wok ou une grande poêle à frire et ajouter l'ail, le gingembre et les légumes. Faire frire en remuant pendant 3 minutes. Ajouter le calmar et frire deux minutes de plus. Mélanger ensemble le reste des ingrédients, puis ajouter au mélange de calmar. Chauffer en brassant jusqu'à ce que la sauce épaississe. Donne 4 portions.

Filets roulés farcis (Illustration p. 237)

1 kg	de filets de poisson frais ou congelés	2 lb
5 ml	de sel	1 c. à thé
1 ml	de poivre	¼ de c. à thé
	recette de farce (voir pages 263 à 267)	
30 ml	de beurre	2 c. à soupe
2 tranches	de bacon coupé en carrés	2 tranches

Faire décongeler partiellement les filets s'il y a lieu. Saler et poivrer, et:

1. Étendre une couche de farce sur chaque filet, rouler et fixer avec un cure-dent. Placer dans un moule peu profond bien graissé. Badigeonner de beurre fondu et parsemer de morceaux de bacon;

OU

2. Couvrir de filets le fond d'un moule à 12 petits gâteaux bien graissé, les extrémités des filets se chevauchant. Mettre de la farce au centre de chacun, badigeonner de beurre fondu et placer un morceau de bacon au centre.

Dans les deux cas, faire cuire au four à 230°C (450°F) pendant de 15 à 20 minutes et servir tel quel ou avec une sauce béchamel (page 274). Donne de 4 à 6 portions.

ESPADON STROGANOFF

750 g	de darnes d'espadon partiellement décongelées	1½ lb
50 ml	de beurre ou de margarine	¼ de tasse
15 ml	de beurre	1 c. à soupe
250 ml	d'oignon haché	1 tasse
250 ml	de champignons tranchés	1 tasse
50 ml	de vin blanc sec	¼ de tasse
10 ml	de jus de citron	2 c. à thé
5 ml	de moutarde préparée	1 c. à thé
1 ml	de basilic	¼ de c. à thé
2 ml	de sel	½ c. à thé
1 ml	de poivre	¼ de c. à thé
375 ml	de crème sure	1½ tasse
1 l	de nouilles aux épinards cuites, chaudes, au beurre	4 tasses
	paprika, quartiers de citron et persil	

Détailler les darnes d'espadon en bandes de 1 cm × 5 cm (½ po × 2 po). Mariner pendant de 3 à 4 heures dans une solution d'eau et de jus de citron ou de vinaigre de cidre (1 l d'eau pour 25 ml de jus de citron ou de vinaigre [1 pinte pour 2 c. à soupe]) suffisante pour couvrir le poisson.

Faire sauter l'oignon dans le beurre jusqu'à ce qu'il soit tendre et transparent. Ajouter les champignons et faire revenir de 2 à 3 minutes de plus. Retirer de la poêle, ajouter 15 ml (1 c. à soupe) de beurre et faire sauter les bandes d'espadon, en les tournant de temps en temps, pendant de 3 à 4 minutes. Retirer de la poêle et garder chaud. Dans une marmite, mélanger la crème sure, le vin blanc, le jus de citron, la moutarde, le basilic et l'assaisonnement. Ajouter l'oignon et les champignons, et amener juste sous le point d'ébullition. Incorporer délicatement les bandes d'espadon. Chauffer sans faire bouillir. Servir immédiatement sur les nouilles chaudes, garnir de paprika, de quartiers de citron et de persil. Donne 4 portions.

THON

THON FRAIS — AU FOUR

1	thon entier	1
1 l	d'eau froide	1 pinte
125 ml	de vinaigre de vin	½ tasse
30 à 50 ml	de jus de citron	2 ou 3 c. à soupe
5 ml	de sel	1 c. à thé
1 ml	de poivre	¼ de c. à thé
5 ml	de romarin	1 c. à thé
5 ml	de basilic	1 c. à thé
30 ml	de beurre	2 c. à soupe
	citron	

Il est facile de faire cuire des darnes de thon frais ou un petit thon entier. S'il n'est pas déjà habillé et prêt pour la poêle, préparer selon les instructions des pages 52 et 53. Essuyer le thon avec un linge qui a été trempé dans une solution de vinaigre et enlever tout le sang qui se trouve dans la cavité. Placer le poisson sur un support dans un plat à four, la cavité en dessous, et faire cuire au four à 180°C (350°F) pendant 20 minutes. Retirer la peau et le gras extérieur. Fendre le poisson de la tête à la queue et retirer la grande arête. Assaisonner l'intérieur et l'extérieur de sel, de poivre, de romarin et de basilic, puis arroser de jus de citron et de beurre fondu. Replacer avec soin les deux filets, l'un sur l'autre, et continuer la cuisson jusqu'à ce que le poisson soit tendre, ce qui nécessite environ 15 minutes par 500 g (1 lb). Garnir avec des quartiers de citron. Le thon cuit au four est délicieux servi avec une béchamel au sherry et aux champignons, page 274, ou une sauce de votre choix.

THON FRAIS — POCHÉ

Les darnes et les morceaux de germon ou les petits thons entiers pochés sont excellents. Utiliser suffisamment de court-bouillon (pages 257 et 258) pour couvrir et pocher en suivant la règle générale pour le temps de cuisson (page 110) ou jusqu'à ce que le poisson s'effeuille facilement à la fourchette. Servir avec votre sauce préférée.

THON FRAIS — SAUTÉ

Compter une darne moyenne de germon de 2,5 cm (1 po) d'épaisseur par personne.

75 ml	de beurre	4 c. à soupe
150 ml	de vin blanc sec	⅔ de tasse
2 ml	d'estragon séché	1 c. à thé

Mélanger l'estragon et le vin, et laisser reposer. Faire fondre le beurre dans la poêle et faire dorer les darnes des deux côtés. Arroser le poisson de vin à l'estragon à la cuiller, tout en faisant réduire à feu vif. Retirer le poisson et le mettre dans un plat de service, puis verser dessus la sauce au vin. Il faut environ de 10 à 15 minutes pour faire cuire les darnes de thon.

FLÉTAN À LA CRÉOLE (Illustration p. 238)

1 kg	de filets de flétan* du Groenland, frais ou congelés	2 lb
30 ml	d'oignon haché	2 c. à soupe
50 ml	de poivron vert haché fin	¼ de tasse
50 ml	de céleri tranché	¼ de tasse
30 ml	de beurre	2 c. à soupe
375 ml	de tomates tranchées	1½ tasse
50 ml	de champignons tranchés	¼ de tasse
50 ml	d'olives noires tranchées	¼ de tasse
5 ml	de sel	1 c. à thé
0,5 ml	de poivre	⅛ de c. à thé
1 ml	de romarin	¼ de c. à thé
30 ml	de sherry	2 c. à soupe

Décongeler partiellement les filets s'il y a lieu. Faire cuire l'oignon, le céleri et le poivron vert dans le beurre jusqu'à ce qu'ils soient tendres. Ajouter les tomates, les champignons et les olives, et cuire 2 minutes de plus. Ajouter l'assaisonnement et le sherry. Retirer du feu. Disposer les filets dans un plat à four graissé, verser la sauce sur le poisson et cuire à four chaud à 230°C (450°F) pendant de 10 à 15 minutes, selon l'épaisseur des filets. Donne 6 portions.

* On peut aussi utiliser des filets de n'importe quel autre poisson à chair blanche.

SAUMON ENTIER (Illustration p. 255)

3 kg	de saumon ou un saumon entier	6 lb
5 ml	de sel épicé	1 c. à thé
1 ml	de poivre	¼ de c. à thé
375 à 500 ml	de farce (voir pages 263 à 267)	1½ à 2 tasses
30 ml	d'huile ou de beurre fondu	2 c. à soupe

Nettoyer et écailler (voir page 61) le saumon. Retirer les arêtes, si on le désire, en suivant les instructions des pages 62 et 63 ou farcir la cavité. Un poisson désossé est plus facile à servir et plus agréable à manger.

Saupoudrer l'intérieur du poisson de sel épicé et de poivre. Farcir avec la farce de votre choix (voir pages 263 à 267). Fixer les bords du saumon avec des aiguilles à dinde et coudre avec de la ficelle. Badigeonner la peau de beurre fondu ou d'huile. Donne 6 portions.

Au four: Faire chauffer le four à 230°C (450°F) et faire cuire pendant 5 minutes par centimètre d'épaisseur (de 10 à 12 minutes par pouce), la mesure étant prise dans la partie la plus épaisse.

REMARQUE: Un poisson de 3 kg (6 lb) farci mesurera environ de 6 à 7,5 cm (de 2½ à 3 po) et n'exigera pas plus de 30 minutes de cuisson.

À la braise: Voir page 111 pour la cuisson à la braise.

REMARQUE: Dans de bonnes conditions, un poisson de 3 kg (6 lb) (farci) n'exigera pas plus de 15 à 20 minutes de cuisson de chaque côté, le poisson étant retourné une seule fois au milieu de la cuisson.

❧ GARNITURES ❧

GARNITURE AUX CREVETTES BOMBAY

500 g	de petites crevettes* fraîches	1 lb
15 ml	de jus de citron	1 c. à soupe
2 ml	de cari	½ c. à thé
1	petite pomme coupée en petits dés	1
125 ml	de mayonnaise (ou suffisamment pour lier au goût)	½ tasse
2 ml	de sel	½ c. à thé
0,5 ml	de poivre	⅛ de c. à thé

Bien mélanger tous les ingrédients. Réfrigérer pendant 30 minutes avant de servir. Donne de 6 à 8 sandwichs.

* On peut remplacer les crevettes par du crabe ou du thon en conserve.

CLAMBURGERS

2	oeufs	2
500 ml	de myes* émincées, cuites ou en conserve, égouttées	2 tasses
150 ml	de chapelure	⅔ de tasse
30 ml	de jus de citron	2 c. à soupe
30 ml	d'échalote hachée fin	2 c. à soupe
30 ml	de persil émincé	2 c. à soupe
2 ml	de sel	½ c. à thé
	grains de poivre	
30 à 50 ml	d'huile	2 à 3 c. à soupe
4	pains à hambourgeois beurre ou margarine ketchup	4

Battre les oeufs légèrement. Ajouter les myes, le jus de citron, l'échalote, le persil, la chapelure, le sel et le poivre. Bien mélanger. Façonner 4 croquettes plates et faire frire dans l'huile chaude en les retournant une fois, jusqu'à ce qu'elles soient bien dorées des deux côtés. Fendre les pains et les faire dorer légèrement. Beurrer et garnir d'une croquette. Servir avec du ketchup. Donne 4 sandwichs.

* On peut aussi utiliser du saumon ou du thon en conserve.

GARNITURE DE POISSON AUX ANCHOIS

250 ml	de filets de poisson cuits et émiettés	1 tasse
50 g	d'anchois en conserve, égouttés et bien écrasés	2 oz
30 ml	d'échalote hachée	2 c. à soupe
15 ml	de jus de citron	1 c. à soupe
30 ml	de crème sure	2 c. à soupe

Faire cuire les filets à la vapeur ou les faire bouillir en suivant les instructions aux pages 110. Bien égoutter et émietter. Bien mélanger tous les ingrédients. Délicieux avec du pain grillé ou nature. Donne 3 sandwichs.

GARNITURE DE POISSON AUX OLIVES (Illustration p. 256)

500 ml	de filets de poisson cuits et émiettés	2 tasses
30 ml	de jus de citron	2 c. à soupe
125 ml	d'olives vertes hachées	½ tasse
125 ml	de mayonnaise	½ tasse
	assaisonnement au goût	

Bien mélanger tous les ingrédients. Savoureux avec du pain grillé ou nature. Donne 8 sandwichs.

GARNITURE CHAUDE AUX CREVETTES

112 g	de petites crevettes en conserve, égouttées et grossièrement hachées	4 oz
250 ml	de cheddar moyen, râpé	1 tasse
1	oeuf légèrement battu	1
1 ml	de sauce Worcestershire	¼ de c. à thé
2 ml	de moutarde en poudre	½ c. à thé
2 ml	de vinaigre	½ c. à thé
	sel et poivre au goût	
4 tranches	de pain OU	4 tranches
2	petits pains ronds, tranchés en deux	2
	beurre	

Griller légèrement les tranches de pain des deux côtés et beurrer. Mélanger le reste des ingrédients et étendre sur chaque tranche. Griller de 3 à 5 minutes ou cuire au four à 200°C (400°F). Servir immédiatement. Donne de 2 à 4 sandwichs.

SANDWICH DE POISSON À LA POÊLE

250 ml	de filets de poisson* cuits et émiettés	1 tasse
75 ml	de mayonnaise	⅓ de tasse
30 ml	d'oignon émincé	2 c. à soupe
5 ml	de jus de citron	1 c. à thé
1 ml	de sauce Worcestershire	¼ de c. à thé
1 ml	de sel	¼ de c. à thé
6 tranches	de pain	6 tranches
	beurre mou	

Bien mélanger tous les ingrédients, sauf le pain et le beurre. Étendre sur 3 tranches de pain beurrées et recouvrir des 3 autres tranches. Tailler les croûtes au goût. Beurrer l'extérieur des sandwichs et faire dorer à la poêle. Donne 3 sandwichs.

* On peut utiliser à peu près n'importe quelle sorte de filets.

PAIN DORÉ AU SAUMON

220 g	de saumon en conserve	7¾ oz
50 ml	de mayonnaise	¼ de tasse
15 ml	de persil haché	1 c. à soupe
30 ml	d'échalote hachée fin	2 c. à soupe
2 ml	de sel	½ c. à thé
0,5 ml	de poivre	⅛ de c. à thé
8 tranches	de pain beurré	8 tranches
1	oeuf battu	1
125 ml	de liquide (liquide du saumon et lait)	½ tasse
2 gouttes	de sauce Tabasco	2 gouttes
30 - 50 ml	de beurre ou de margarine	2 - 4 c. à soupe

Égoutter le saumon et garder le liquide. Émietter le saumon et écraser les arêtes et la peau. Bien mélanger avec la mayonnaise, le persil, l'échalote et l'assaisonnement. Étendre sur quatre tranches de pain légèrement beurrées; recouvrir des 4 autres tranches. Mélanger l'oeuf battu, le liquide du saumon et du lait dans un plat peu profond. Tremper les deux côtés des sandwichs dans ce mélange et faire dorer des deux côtés à la poêle, dans le beurre ou la margarine. Servir immédiatement. Donne 4 sandwichs.

GARNITURE AU SAUMON POUR CUISSON À LA BRAISE

220 g	de saumon en conserve OU	7¾ oz
250 ml	de saumon frais, cuit	1 tasse
5 ml	de beurre ou de margarine	1 c. à thé
3	oeufs légèrement battus	3
2 ml	de sel	½ c. à thé
0,5 ml	de poivre	⅛ de c. à thé
0,5 ml	d'estragon	⅛ de c. à thé
0,5 ml	de basilic	⅛ de c. à thé
50 ml	de vinaigrette à la française	¼ de tasse
30 ml	d'échalote hachée	2 c. à soupe
125 ml	de cheddar ou de suisse, râpé	½ tasse
6	pains à hambourgeois	6

Égoutter le liquide du saumon dans un bol, ajouter les oeufs et bien battre. Faire fondre le beurre et y faire brouiller les oeufs. Ajouter le saumon, l'assaisonnement, la vinaigrette et l'échalote. Bien mêler. Faire dorer légèrement les pains sur le gril puis répartir le mélange à saumon également entre les pains. Saupoudrer de fromage et replacer la deuxième moitié des pains. Bien envelopper dans un papier d'aluminium épais. Mettre sur le gril et faire chauffer jusqu'à ce que le fromage fonde, soit environ 15 minutes. On peut aussi les faire chauffer au four à 180°C (350°F) pendant le même temps. Donne 6 sandwichs.

Sandwich de fruits de mer en portions

500 g	de portions de poisson panées (un paquet)	1 lb
8	petits pains ronds ou pains à hambourgeois beurre	8
8	tranches de fromage	8
8	tranches de tomates sauce tartare laitue	8

Faire frire le poisson à la poêle selon les instructions données sur le paquet. Faire dorer légèrement les deux côtés des pains et les beurrer. Placer les portions de poisson frites, les tranches de fromage et de tomates, la laitue et une cuillerée de sauce tartare entre les deux moitiés de pain pour obtenir un délicieux sandwich de poisson. Donne 8 sandwichs.

Garniture de luxe au saumon

220 g	de saumon* en conserve	7¾ oz
2	oeufs cuits dur et hachés	2
125 ml	de céleri haché fin	½ tasse
50 ml	d'olives farcies, hachées	¼ de tasse
30 ml	de relish sucrée	2 c. à soupe
10 ml	de moutarde préparée	2 c. à thé
125 ml	de mayonnaise sel et poivre au goût	½ tasse
10	tranches de pain beurré	10

Égoutter et émietter le saumon en écrasant les arêtes et la peau. Mélanger tous les ingrédients en liant avec de la mayonnaise au goût. Assaisonner. Donne de 4 à 6 sandwichs.

* On peut aussi utiliser du thon, des crevettes, du crabe, du maquereau, etc.

GARNITURE AUX CREVETTES ET À L'AVOCAT

125 g	de petites crevettes fraîches	½ lb
1	petit avocat pelé, en dés	1
15 ml	de jus de citron	1 c. à soupe
30 ml	de mayonnaise	2 c. à soupe
1 ml	d'aneth	¼ de c. à thé
	sel et poivre au goût	
6	tranches de pain de seigle beurré	6

Mélanger tous les ingrédients. Réfrigérer 30 minutes avant de servir. Donne 3 sandwichs.

SANDWICH AU THON

6 à 8	pains à hot-dog	6 à 8
198 g	de germon* en miettes, égoutté	7 oz
125 ml	de fromage fondu, en dés	½ tasse
2	oeufs cuits dur, hachés	2
50 ml	de céleri haché fin	¼ de tasse
15 ml	d'échalote hachée fin	1 c. à soupe
15 ml	de relish sucrée	1 c. à soupe
15 ml	de piment de la Jamaïque haché	1 c. à soupe
125 ml	de mayonnaise	½ tasse
15 ml	de jus de citron	1 c. à soupe
	sel et poivre au goût	

Couper les pains en deux dans le sens de la longueur et enlever la mie. Laisser environ 1,25 cm (½ po) de pain. Bien mélanger tous les ingrédients. Mettre le mélange dans les pains. Replacer les moitiés du dessus et envelopper chaque sandwich dans du papier d'aluminium. Faire chauffer au four à 160°C (325°F) pendant de 15 à 20 minutes. Donne de 6 à 8 sandwichs.

* On peut remplacer le germon par du saumon, des crevettes, du crabe ou du maquereau en conserve.

ꙮMarinadesꙮ

Marinade aux herbes et au vin

50 ml	d'huile d'olive	¼ de tasse
5 ml	de romarin ou d'origan	1 c. à thé
125 ml	de tomates, pelées, épépinées	½ tasse
	et coupées en cubes	
15 ml	de jus de citron	1 c. à soupe
250 ml	de vin blanc sec	1 tasse
2 ml	de sel	½ c. à thé
0,5 ml	de poivre	⅛ de c. à thé

Mélanger les ingrédients et utiliser comme marinade ou comme sauce pour le saumon, l'omble chevalier, la truite, le corégone et la plupart des autres poissons à chair ferme.

Marinade au citron

	jus de un citron	
2 ml	de sel d'ail	½ c. à thé
50 ml	de beurre fondu	¼ de tasse
1 ml	de poivre	¼ de c. à thé

Mélanger les ingrédients et utiliser comme marinade et pour badigeonner les filets pendant la cuisson.

COURTS-BOUILLONS

Pour pocher un poisson au court-bouillon, amener le liquide à ébullition, ajouter le poisson — le liquide doit juste le recouvrir — et faire mijoter doucement selon les directions pour le temps de cuisson (voir page 110). Le court-bouillon peut aussi servir de liquide dans une sauce servie avec ou sur du poisson poché. Les recettes données ci-après peuvent être augmentées ou adaptées selon le goût de chacun.

Le liquide du court-bouillon peut être gardé au réfrigérateur plus d'une semaine ou congelé de 2 à 3 mois.

COURT-BOUILLON AU VIN

500 ml	de vin blanc sec	2 tasses
750 ml	d'eau	3 tasses
1	petit oignon tranché mince	1
1	petit citron tranché mince	1
2 branches	de céleri, le haut seulement	2 branches
	brins de persil	
1 feuille	de laurier	1 feuille
5 ml	de sel	1 c. à thé
2 ml	de grains de poivre	½ c. à thé

Mettre tous les ingrédients dans une grande casserole, couvrir et faire mijoter pendant 30 minutes. Passer et mettre de côté jusqu'à utilisation.

Court-bouillon au vinaigre

30 ml	de beurre	2 c. à soupe
1	oignon haché gros	1
1	carotte hachée gros	1
1 branche	de céleri hachée gros	1 branche
1,25 l	d'eau	5 tasses
50 ml	de vinaigre	¼ de tasse
1 feuille	de laurier	1 feuille
5 ml	de sel	1 c. à thé
2 ml	de poivre en grain	½ c. à thé

Faire fondre le beurre dans une grande casserole et faire sauter l'oignon, la carotte et le céleri jusqu'à ce qu'ils soient dorés. Ajouter l'eau, le vinaigre, le sel et le poivre en grain, et faire mijoter, couvert, pendant 30 minutes. Passer et mettre de côté jusqu'à utilisation.

Panures et
⸂Pâtes à frire⸃

Panures

Avant le panage, les filets de poisson et les mollusques et crustacés devraient être rincés et trempés dans un bain d'oeuf composé d'un oeuf bien battu et de 15 ml (1 c. à soupe) de lait ou d'eau, ou trempés dans une pâte à frire souple.

250 ml	de farine	1 tasse
2 ml	de sel	½ c. à thé
1	oeuf	1
375 ml	de lait ou d'eau	½ tasse

Mélanger le sel et la farine. Dans un autre bol, battre légèrement l'oeuf avec le lait ou l'eau. Mettre le mélange liquide dans le mélange sec et battre pour obtenir un mélange lisse.

Après avoir été trempés dans un bain d'oeuf ou une pâte à frire légère, les filets de poisson, les mollusques ou les crustacés sont prêts à être roulés dans une des panures suivantes.

Farine de maïs: Voir la recette de la truite arc-en-ciel dorée à la poêle.

Cari: Mélanger 250 ml (1 tasse) de chapelure avec 5 ml (1 c. à thé) de cari.

Gingembre: Mélanger 250 ml (1 tasse) de chapelure avec 5 ml (1 c. à thé) de gingembre.

Herbes: Mélanger 250 ml de chapelure (1 tasse) avec une des herbes suivantes: 5 ml (1 c. à thé) de feuilles de fenouil séchées, de fenouil, d'estragon ou de cerfeuil.

Noix: Utiliser 250 ml (1 tasse) de noix finement hachées.

Oignon: Mélanger 250 ml (1 tasse) de chapelure avec 5 ml (1 c. à thé) de flocons d'oignons secs.

Croustilles de pommes de terre: Utiliser 250 ml (1 tasse) de croustilles de pommes de terre écrasées.

Chapelure au parmesan: Mélanger 125 ml (1 tasse) de chapelure avec 125 ml (1 tasse) de parmesan râpé.

Parmesan et craquelins: Mélanger 125 ml (1 tasse) de craquelins émiettés avec 125 ml (1 tasse) de parmesan râpé.

PÂTES À FRIRE

Rincer le poisson ou les mollusques et crustacés et les essuyer avant de les tremper dans la pâte à frire. En règle générale, une panure faite avec de l'eau doit être croustillante, alors qu'une pâte faite avec du lait doit être tendre. Tremper dans la pâte les cubes de flétan, de saumon, de truite ou d'autre poisson à chair ferme, ou les mollusques et crustacés, et faire frire dans de l'huile chauffée à 190°C (375°F) de 4 à 5 minutes jusqu'à brun doré. Sécher sur du papier absorbant. Servir chaud avec du chutney ou de la sauce Richelieu ou tartare si une trempette est désirée. Pour les recettes de ces sauces, voir pages 273 et 274.

PÂTE À FRIRE DE BASE, SOUPLE

375 ml	de farine tout usage	1½ tasse
5 ml	de levure chimique («poudre à pâte»)	1 c. à thé
5 ml	de sel	1 c. à thé
2	oeufs	2
300 ml	de lait	1¼ tasse
15 ml	d'huile végétale	1 c. à soupe
15 ml	de vinaigre	1 c. à soupe

Mélanger tous les ingrédients secs dans un bol et les liquides dans un autre. Verser les liquides dans les ingrédients secs et battre jusqu'à consistance lisse. Laisser reposer la pâte 10 minutes avant de l'utiliser. Suffisant pour de 1 à 1,5 kg de poisson (de 2 à 3 livres).

PÂTE À FRIRE DU CAMPEUR

| 250 ml | de mélange à crêpe | 1 tasse |
| 175 ml | de bière | ¾ de tasse |

Bien mélanger le mélange à crêpe et la bière en remuant. Donne un appareil suffisant pour 1 kilo (2 livres).

PÂTE À FRIRE CROUSTILLANTE

250 ml	de farine tout usage	1 tasse
10 ml	de levure chimique	2 c. à thé
7 ml	de sel	1½ c. à thé
10 ml	de sucre	2 c. à thé
15 ml	d'huile à salade	1 c. à soupe
250 ml	d'eau	1 tasse

Mélanger tous les ingrédients secs dans un bol. Dans un autre bol, ajouter l'huile à l'eau, puis verser dans un puits fait dans les ingrédients secs. Battre jusqu'à ce que la pâte soit bien lisse. Donne un appareil suffisant pour 1 kg (2 livres).

PÂTE À FRIRE AUX HERBES

150 ml	de farine tout usage	¾ de tasse
5 ml	de levure chimique	1 c. à thé
2 ml	de sel	½ c. à thé
1 à 2 ml	de feuilles de fenouil séchées ou d'herbes au choix	¼ à ½ c. à thé
1	oeuf légèrement battu	1
100 ml	d'eau, de lait ou de bière dégazéifiée	½ tasse

Mélanger tous les ingrédients secs. Faire un puits dans les ingrédients secs et y verser l'eau et l'oeuf. Battre jusqu'à ce que le tout soit bien mélangé. Donne assez d'appareil pour de 0,5 à 1 kg (de 1 à 2 livres).

PÂTE À FRIRE AU CITRON

250 ml	de farine tout usage	1 tasse
5 ml	de levure chimique	1 c. à thé
2 ml	de sel	½ c. à thé
1	oeuf bien battu	1
175 ml	d'eau froide	¾ de tasse
200 ml	de jus d'un citron et d'eau	1 tasse rase

Tamiser tous les ingrédients secs dans un bol. Faire un puits au centre des ingrédients secs et ajouter l'oeuf et les liquides. Battre jusqu'à ce que le mélange soit lisse. Donne assez d'appareil pour 1 kg (2 livres).

PÂTE À FRIRE DU GARDIEN

250 ml	de farine	1 tasse
250 ml	d'eau glacée	1 tasse
1 ml	de bicarbonate de sodium	¼ de c. à thé
5 ml	de sel	1 c. à thé
2 ml	de levure chimique	½ c. à thé

Mettre la farine dans un bol, ajouter l'eau et bien battre. Ajouter le bicarbonate de sodium et le sel, puis battre. Ajouter la levure et battre encore. Utiliser immédiatement ou garder au réfrigérateur. Suffisant pour 2 kg (2 livres).

✎Farces✎

Farce aux canneberges et à l'orange

250 ml	de canneberges, fraîches ou congelées	1 tasse
1	orange* moyenne, pelée et séparée en quartiers	1
15 ml	de jus de citron	1 c. à soupe
30 ml	de sucre	2 c. à soupe
30 ml	d'eau	2 c. à soupe
250 ml	de mie de pain	1 tasse

Placer tous les ingrédients sauf la mie de pain dans un mélangeur avec 30 ml (2 c. à soupe) d'eau et mélanger jusqu'à ce que l'orange et les canneberges soient bien hachées et mêlées. Vider dans une marmite et faire cuire jusqu'à ce qu'elles soient tendres. Retirer du feu, ajouter la mie de pain et brasser. Utiliser pour farcir des filets de chair blanche ou comme sauce pour les darnes, etc. Donne 500 ml (2 tasses).

* On peut remplacer l'orange par une pomme dont on a enlevé le coeur et qu'on a hachée.

Farce aux herbes et à la mie de pain

50 ml	de beurre	¼ de tasse
75 ml	de céleri haché	⅓ de tasse
75 ml	d'oignon haché	⅓ de tasse
15 ml	de mayonnaise	1 c. à soupe
2 ml	de sel	½ c. à thé
0,5 ml	de poivre	⅛ de c. à thé
1 ml	d'estragon	¼ de c. à thé
1 ml	de thym	¼ de c. à thé
250 ml	de mie de pain	1 tasse

Faire revenir le céleri et l'oignon dans le beurre pour les attendrir légèrement. Retirer du feu. Mélanger la mayonnaise, les herbes et l'assaisonnement et ajouter au mélange de céleri. Incorporer la mie de pain et farcir le poisson. Donne 375 ml (1½ tasse).

Farce au riz et au citron

250 ml	de céleri haché fin	1 tasse
75 ml	d'oignon haché fin	⅓ de tasse
75 ml	de beurre	⅓ de tasse
750 ml	d'eau	3 tasses
50 ml	de jus de citron	¼ de tasse
15 ml	de zeste de citron râpé	1 c. à soupe
1 ml	de thym	¼ de c. à thé
10 ml	de sel	2 c. à thé
0,5 ml	de poivre	⅛ de c. à thé
375 ml	de riz minute	1½ tasse

Faire revenir le céleri et l'oignon dans le beurre pour les attendrir légèrement, soit environ de 3 à 4 minutes. Ajouter les autres ingrédients, sauf le riz, et amener à ébullition. Ajouter le riz et mêler. Couvrir et retirer du feu. Laisser reposer 5 minutes. Donne 750 ml (3 tasses).

FARCE AU CITRON ET À LA CRÈME SURE

50 ml	de crème sure	¼ de tasse
10 ml	de zeste de citron râpé	2 c. à thé
2 ml	de sel	½ c. à thé
2 ml	de paprika	½ c. à thé
625 ml	de mie de pain	2½ tasses
30 ml	de beurre	2 c. à soupe
50 ml	d'oignon haché	¼ de tasse
125 ml	de céleri coupé en dés	½ tasse

Mélanger la crème sure, le zeste de citron, le sel et le paprika, et verser sur la mie de pain en brassant légèrement. Faire fondre le beurre et y attendrir l'oignon et le céleri. Ajouter à la mie de pain et bien mélanger. Donne environ de 750 ml à 1 000 ml (de 3 à 4 tasses).

FARCE AUX CHAMPIGNONS

50 ml	de beurre	¼ de tasse
75 ml	de céleri haché	⅓ de tasse
75 ml	d'oignon haché fin	⅓ de tasse
250 ml	de champignons tranchés	1 tasse
15 ml	de persil haché	1 c. à soupe
175 ml	de craquelins salés, grossièrement émiettés	¾ de tasse
1 ml	d'assaisonnement pour volaille	¼ de c. à thé
1 ml	de fenouil ou d'aneth	¼ de c. à thé

Faire dorer le céleri et le beurre dans une grande poêle. Ajouter les champignons et cuire deux minutes de plus. Incorporer le reste des ingrédients et bien mélanger. Saler et poivrer la cavité du saumon et farcir.

Cette farce peut servir pour l'omble chevalier, la corégone, la truite ou tout autre poisson à chair ferme cuit au four, entier, ou pour des filets roulés. Donne de 500 à 750 ml (de 2 à 3 tasses).

Farce aux huîtres

125 ml	de céleri coupé en dés	½ tasse
250 ml	d'oignon haché	1 tasse
125 ml	de beurre	¼ de tasse
5 ml	de sel	1 c. à thé
5 ml	d'assaisonnement pour volaille	1 c. à thé
2 ml	de sarriette	½ c. à thé
250 g	d'huîtres avec leur jus	1 tasse
4 tranches	de pain, grillées et coupées en cubes	4 tranches

Faire revenir le céleri et l'oignon dans le beurre jusqu'à ce qu'ils soient tendres. Ajouter l'assaisonnement, les huîtres et leur jus. Faire mijoter jusqu'à ce que les bords des huîtres froncent. Retirer du feu et ajouter en brassant les cubes de pain.

Cette farce peut servir pour l'omble chevalier, le corégone, la truite ou tout autre poisson à chair ferme cuit au four, entier, ou pour des filets roulés. Donne de 500 à 750 ml (de 2 à 3 tasses).

Farce aux crevettes

15 ml	de beurre ou de margarine	1 c. à soupe
30 ml	d'oignon haché fin	2 c. à soupe
50 ml	de poivron vert haché fin	¼ de tasse
113 g	de crevettes en conserve, égouttées, hachées	4¼ oz
1 ml	de basilic	¼ de c. à thé

Faire fondre le beurre dans une marmite et y attendrir légèrement l'oignon et le poivron vert. Ajouter les crevettes et le basilic, et bien mélanger. Farcir chaque filet roulé d'environ 30 ml (2 c. à soupe) de mélange. Donne 250 ml (1 tasse).

Farce aux épinards et aux oeufs

283 g	d'épinards congelés	10 oz
1	oeuf cuit dur, haché	1
15 ml	de jus de citron	1 c. à soupe
2 ml	de sel	½ c. à thé
0,5 ml	de poivre	⅛ de c. à thé
1 ml	de muscade	¼ de c. à thé
250 ml	de mie de pain	1 tasse

Faire cuire les épinards suivant les instructions sur le paquet, bien égoutter et hacher fin. Ajouter le jus de citron, l'oeuf, l'assaisonnement et bien mêler. Ajouter la mie de pain et mêler. Utiliser pour farcir un saumon, un omble chevalier, une truite ou un corégone entier, ou des filets. Donne environ 500 ml (2 tasses).

Farce aux légumes

30 ml	d'oignon haché fin	2 c. à soupe
125 ml	de concombre pelé, épépiné et coupé en dés	½ tasse
125 ml	de tomates pelées et hachées	½ tasse
50 ml	de poivron vert haché fin	¼ de tasse
10 ml	de jus de citron	2 c. à thé
1 ml	de sel	¼ de c. à thé
	grains de poivre	
15 ml	de beurre fondu	1 c. à soupe

Mélanger tous les ingrédients et utiliser pour farcir du poisson entier ou des filets. Donne environ 300 ml (1¼ tasse).

❧SAUCES❧

SAUCE À L'ABRICOT ET AU GINGEMBRE

398 ml	moitiés d'abricots en conserve, égouttés (garder le jus)	14 oz
15 ml	de confiture à l'orange («marmelade»)	1 c. à soupe
5 ml	de poudre de gingembre	1 c. à thé
15 ml	de jus de citron	1 c. à soupe
5 ml	de fécule de maïs	1 c. à thé
15 ml	de jus d'abricot	1 c. à soupe

Faire dissoudre la fécule de maïs dans le jus d'abricot. Mettre tous les autres ingrédients dans le mélangeur et mélanger jusqu'à consistance lisse (ou hacher fin). Faire chauffer le mélange d'abricots presque jusqu'au point d'ébullition, ajouter la fécule de maïs dissoute et faire chauffer en brassant, pendant une ou deux minutes, jusqu'à obtention d'une sauce épaisse et claire. Servir sur des filets de poisson pochés ou cuits au four. Donne environ 175 ml (¾ tasse).

SAUCE BÉCHAMEL MOYENNE DE BASE*

30 ml	de beurre ou de margarine	2 c. à soupe
30 ml	de farine	2 c. à soupe
250 ml	de liquide (lait ou mélange de lait et d'un des liquides suivants: fumet de poisson, bouillon de légumes, vin blanc sec, court-bouillon, crème, liquide de saumon en conserve, etc.)	1 tasse
2 ml	de sel	½ c. à thé
0,5 ml	de poivre blanc	⅛ de c. à thé

Faire fondre le beurre, ajouter la farine en brassant et verser graduellement le liquide. Faire chauffer à feu moyen en brassant sans arrêt jusqu'à épaississement. Assaisonner au goût. La sauce peut varier considérablement selon le liquide utilisé.

VARIANTES DE LA SAUCE BÉCHAMEL DE BASE

Moutarde: Ajouter 2 ml (½ c. à thé) de moutarde en poudre ou 15 ml (1 c. à table) de moutarde préparée.

Cari: Ajouter 15 ml (1 c. à table) de cari avant de servir.

Anchois: Laver et écraser trois filets d'anchois et les ajouter à la sauce.

Fromage: Ajouter 250 ml (1 tasse) de cheddar moyen, râpé, et une pincée de paprika. Brasser sur feu doux jusqu'à ce que le fromage soit fondu.

Persil-oeuf: Ajouter un oeuf cuit dur haché et 15 ml (1 c. à soupe) de persil haché.

Herbes: Ajouter une des herbes suivantes: cerfeuil, aneth, basilic, marjolaine, fenouil, romarin, estragon ou toute autre herbe au goût qui accompagne bien le poisson. Commencer par 2 ml (½ c. à thé) et rajouter selon votre goût.

* Pour obtenir une sauce LÉGÈRE, utiliser 15 ml (1 c. à soupe) de beurre et 15 ml (1 c. à soupe) de farine avec 250 ml (1 tasse) de liquide.

Pour obtenir une sauce ÉPAISSE, utiliser 50 ml (3 c. à soupe) de beurre et 50 ml (3 c. à soupe) de farine avec 250 ml (1 tasse) de liquide.

Sauce chinoise

30 ml	de fécule de maïs	2 c. à soupe
50 ml	de saké ou de vin blanc sec	¼ de tasse
250 ml	de jus d'orange	1 tasse
15 ml	de sauce au soya	1 c. à soupe
30 ml	de sucre	2 c. à soupe
50 ml	de vinaigre	¼ de tasse
5 ml	de poudre de gingembre	1 c. à thé

Faire ramollir la fécule de maïs dans 30 ml (2 c. à table) de saké. Faire chauffer le reste de saké, le jus d'orange et la sauce au soya, le sucre, le vinaigre et le gingembre dans une casserole. Retirer du feu juste avant l'ébullition et ajouter la fécule de maïs ramollie. Faire cuire à feu moyen en remuant pendant 1 ou 2 minutes de plus, jusqu'à ce que la sauce épaississe et s'éclaircisse. Donne à peu près 350 ml (1 tasse). Verser sur des filets ou des darnes et servir immédiatement.

Sauce chutney

175 ml	de crème sure	¾ de tasse
5 ml	de cari	1 c. à thé
50 ml	de chutney, haché ou en purée	¼ de tasse

Mélanger tous les ingrédients et réfrigérer avant de servir. Donne 250 ml (1 tasse).

Sauce hawaïenne au cari

30 ml	d'oignon haché fin	2 c. à soupe
50 ml	de beurre	¼ de tasse
30 ml	de farine	2 c. à soupe
250 ml	de lait	1 tasse
5 ml	de cari	1 c. à thé
5 ml	de gingembre haché fin OU	1 c. à thé
2 ml	de poudre de gingembre	½ c. à thé

15 ml	de jus de citron ou de lime	1 c. à soupe
2 ml	de sel	½ c. à thé
0,5 ml	de poivre	⅛ de c. à thé
125 ml	de noix de coco râpée (au goût)	½ tasse

Faire revenir l'oignon dans le beurre pendant deux minutes. Ajouter la farine en brassant. Verser graduellement le lait et faire chauffer sur feu moyen en brassant jusqu'à épaississement. Ajouter le cari, le gingembre, le jus de citron et l'assaisonnement, et laisser mijoter, en brassant, pendant deux minutes de plus. Ajouter du lait au besoin pour obtenir la consistance désirée. Cette sauce est excellente avec les crevettes, le crabe, etc. On peut aussi y mélanger de la noix de coco ou en saupoudrer sur le dessus au moment de servir. Donne environ 500 ml (2 tasses).

SAUCE HOLLANDAISE

125 ml	de beurre	½ tasse
3	jaunes d'oeufs	3
30 ml	de jus de citron	2 c. à soupe
1 ml	de sel	¼ de c. à soupe
une pincée	de poivre de Cayenne	une pincée
125 ml	d'eau	½ tasse

Faire fondre le beurre dans une casserole, mais ne pas faire brunir.

Mettre les jaunes d'oeufs, le jus de citron, le sel et le poivre de Cayenne dans le récipient du mélangeur. Faire tourner à vitesse lente pendant 30 secondes. Ajouter l'eau et faire tourner encore lentement pendant 30 secondes. Mettre le mélangeur à vitesse rapide et verser le beurre fondu en un flot mince et régulier.

Continuer à battre jusqu'à ce que le beurre soit mélangé. Verser le mélange dans un bain-marie et remuer constamment jusqu'à ce qu'il épaississe. Ne pas laisser bouillir. Donne 250 ml (1 tasse). Servir immédiatement sur ou avec du poisson blanc.

Sauce au citron

30 ml	de beurre	2 c. à soupe
30 ml	de farine	2 c. à soupe
250 ml	de court-bouillon (voir pp. 257 et 258) ou de bouillon de poulet (peut contenir jusqu'à 125 ml [½ tasse] de vin blanc)	1 tasse
30 ml	de jus de citron	2 c. à soupe
2 ml	de sel	½ c. à thé
0,5 ml	de feuilles de fenouil séchées	⅛ de c. à thé

Faire fondre le beurre dans une casserole, puis ajouter la farine et le court-bouillon, et remuer jusqu'à épaississement.

Ajouter le jus de citron, le sel et le fenouil. Cuire sur feu moyen, en remuant, pendant 2 minutes. Donne environ 250 ml (1 tasse).

Servir chaud sur des filets ou des darnes de poisson blanc.

Sauce simili hollandaise

250 ml	de sauce Béchamel de base (voir pages 268 et 269)	1 tasse
500 ml	de mayonnaise	2 tasses
15 ml	de jus de citron	1 c. à soupe
2 gouttes	de sauce Tabasco	2 gouttes
	sel au goût	

Ajouter tous les ingrédients à la sauce Béchamel de base en remuant sur feu moyen. Donne 750 ml (3 tasses). Servir chaud.

SAUCE RICHELIEU

250 ml	de mayonnaise	1 tasse
50 ml	de crème sure	¼ de tasse
30 ml	de jus de citron	2 c. à soupe
5 ml	de zeste de citron râpé fin	1 c. à thé
2 ml	de sauce Worcestershire	½ c. à thé

Mélanger tous les ingrédients et réfrigérer avant de servir. Donne 350 ml (1¼ tasse).

SAUCE À COQUETEL DE FRUITS DE MER — 1

125 ml	de sauce au chili	½ tasse
75 ml	de ketchup	⅓ de tasse
15 ml	de raifort préparé	1 c. à soupe
7 ml	de sauce Worcestershire	1½ c. à thé

Mélanger tous les ingrédients et réfrigérer avant de servir. Donne 250 ml (1 tasse).

SAUCE À COQUETEL DE FRUITS DE MER — 2

125 ml	de sauce au chili	½ tasse
50 ml	de jus de citron	¼ de tasse
15 ml	de vinaigre	1 c. à soupe
15 ml	de sauce Worcestershire	1 c. à soupe
30 ml	de céleri haché fin	2 c. à soupe
30 ml	d'oignon haché fin	2 c. à soupe
15 ml	de persil haché	1 c. à soupe
2 gouttes	de sauce Tabasco	2 gouttes

Mélanger tous les ingrédients et réfrigérer avant de servir. Donne environ 250 ml (1 tasse).

Béchamel aux champignons et au sherry

30 ml	de beurre	2 c. à soupe
375 ml	de champignons tranchés	1½ tasse
30 ml	de farine	2 c. à soupe
250 ml	de crème 15 %	1 tasse
30 ml	de crème à fouetter	2 c. à soupe
30 ml	de sherry	2 c. à soupe
	sel et poivre au goût	

Faire fondre le beurre et sauter les champignons pendant 2 ou 3 minutes. Ajouter la farine en brassant, puis verser délicatement la crème 15 % en brassant sans arrêt sur feu moyen jusqu'à épaississement. Ajouter la crème à fouetter et le sherry, et assaisonner au goût. Donne environ 675 ml (2½ tasses).

Sauce tartare

5 ml	d'oignon émincé	1 c. à thé
10 ml	de câpres hachées fin	2 c. à thé
10 ml	de cornichons sucrés	2 c. à thé
15 ml	de persil émincé	1 c. à soupe
10 ml	d'olives vertes hachées	2 c. à thé
175 ml	de mayonnaise	¾ de tasse
15 ml	de vinaigre de vin ou	1 c. à soupe
	de vinaigre à l'estragon	

Mélanger tous les ingrédients et réfrigérer avant de servir. Donne 175 ml (¾ tasse).

❧VINAIGRETTES❧

SAUCE À LA CIBOULETTE

250 ml	de yogourt nature	1 tasse
5 ml	de jus de citron	1 c. à thé
5 ml	de sel épicé	1 c. à thé
15 ml	de ciboulette* hachée fin	1 c. à soupe

Mélanger ensemble le yogourt, le jus de citron, le sel et la ciboulette. Refroidir. Servir avec du poisson froid. Donne 250 ml (1 tasse).

* On peut remplacer la ciboulette par des échalotes.

SAUCE CHUTNEY

15 ml	de mayonnaise	1 c. à soupe
125 ml	de crème sure	½ tasse
30 ml	de chutney Major Grey	2 c. à soupe
7 ml	de jus de citron	1½ c. à thé
2 ml	de poudre d'oignon	½ c. à thé

Mélanger tous les ingrédients et réfrigérer pendant une heure avant de servir avec une salade de fruits et de poisson ou de fruits de mer. Donne 175 ml (¾ tasse).

Garniture à la française

175 ml	d'huile à salade ou d'olive	¾ de tasse
50 ml	de cidre ou de vinaigre de vin	¼ de tasse
2 ml	de sel	½ c. à thé
0,5 ml	de poivre fraîchement moulu	⅛ de c. à thé

Mettre tous les ingrédients dans un pot muni d'un couvercle et bien agiter. Réfrigérer jusqu'au moment de servir. Bien agiter encore. Donne 250 ml (1 tasse). Utiliser pour les salades de poisson ou de fruits de mer.

VARIATIONS

D'autres ingrédients peuvent être ajoutés pour varier la saveur, notamment l'ail. Ajouter une gousse d'ail écrasée à la recette de base et bien agiter. On peut aussi ajouter des herbes: ajouter de 10 à 15 ml (2 ou 3 c. à thé) de persil haché et 2 ml (½ c. à thé) d'estragon à la recette de base et bien agiter.

Vinaigrette à la française

2 ml	de gélatine	½ c. à thé
15 ml	d'eau froide	1 c. à soupe
125 ml	d'eau bouillante	½ tasse
15 ml	de sucre	1 c. à soupe
5 ml	de sel	1 c. à thé
125 ml	de jus de citron	½ tasse
1 ml	de jus d'oignon	¼ de c. à thé
0,5 ml	de poivre	⅛ de c. à thé
	grains de poivre de Cayenne	

Dans un pot d'un demi-litre, faire dissoudre la gélatine dans 15 ml (1 c. à soupe) d'eau. Verser l'eau bouillante, bien agiter, puis ajouter les autres ingrédients et continuer d'agiter jusqu'à ce que tous les ingrédients soient dissous. Réfrigérer pendant plusieurs heures avant d'utiliser. Donne 250 ml (1 tasse).

Sauce cottage

250 ml	de cottage égoutté	1 tasse
15 ml	de lait	1 c. à soupe
30 ml	d'échalote hachée	2 c. à soupe
15 ml	de jus de citron	1 c. à soupe
1 ml	de sel	¼ de c. à thé
0,5 ml	de poivre	⅛ de c. à thé
0,5 ml	d'aneth haché	⅛ de c. à thé
	gouttes de sauce Tabasco	

Mettre tous les ingrédients dans un mélangeur et agiter jusqu'à obtention d'un mélange lisse et crémeux. Ou encore, battre le cottage et le lait jusqu'à obtention d'un mélange crémeux et ajouter les autres ingrédients. Réfrigérer pendant plusieurs heures avant de servir. Donne environ 250 ml (1 tasse).

Vinaigrette Louis

250 ml	de mayonnaise	1 tasse
50 ml	de vinaigrette française	¼ de tasse
175 ml	de sauce au chili	¾ de tasse
30 ml	d'oignon haché très fin	2 c. à soupe
5 ml	de raifort préparé	1 c. à thé
5 ml	de sauce Worcestershire	1 c. à thé

Bien mélanger tous les ingrédients et réfrigérer avant de servir. Accompagne bien le crabe, le homard et les crevettes. Donne environ 500 ml (2 tasses).

Mayonnaise faible en calories

7 ml	de sucre	1½ c. à thé
7 ml	de moutarde en poudre	1½ c. à thé
2 ml	de sel	½ c. à thé
0,5 ml	de paprika	⅛ de c. à thé
7 ml	de fécule de maïs	1½ c. à thé
0,5 ml	de sel d'oignon	⅛ de c. à thé
1	oeuf légèrement battu	1
125 ml	de lait de beurre	½ tasse
15 ml	de margarine ou de beurre fondu	1 c. à soupe
50 ml	de vinaigre	¼ de tasse

Dans la partie supérieure d'un bain-marie, mélanger le sucre, la moutarde, le sel, le paprika, la fécule de maïs et le sel d'oignon. Incorporer l'oeuf et le lait de beurre, et battre jusqu'à consistance lisse. Faire cuire en battant ou en brassant jusqu'à ce que le mélange commence à épaissir. Ajouter graduellement le beurre et le vinaigre, en brassant bien après chaque addition; laisser refroidir. Réfrigérer avant de servir. Donne 175 ml (¾ tasse).

Vinaigrette aux tomates, faible en calories

125 ml	de jus de tomate	½ tasse
30 ml	d'huile à salade	2 c. à soupe
30 ml	de jus de citron	2 c. à soupe
5 ml	d'oignon râpé	1 c. à thé
5 ml	de sel	1 c. à thé
2 ml	de moutarde en poudre	½ c. à thé

Mélanger tous les ingrédients. Bien battre au fouet ou agiter vigoureusement dans un pot bien fermé. Réfrigérer avant d'utiliser. Donne 175 ml (¾ tasse).

Vinaigrette à l'orange et à la cannelle

15 ml	de mayonnaise	1 c. à soupe
125 ml	de crème sure ou de yogourt	½ tasse
5 ml	de miel	1 c. à thé
15 ml	de jus d'orange concentré congelé	1 c. à soupe
1 ml	de gingembre	¼ de c. à thé
1 ml	de cannelle	¼ de c. à thé

Mélanger tous les ingrédients et réfrigérer. Servir avec une salade de fruits et de poisson ou de fruits de mer. Donne 175 ml (¾ tasse).

ᔧ GLOSSAIRE ᔧ

Poissons de mer et autres animaux marins.

NOMS VULGAIRES français / anglais	NOMS SCIENTIFIQUES
ATLANTIQUE / ATLANTIC:	
Aiglefin / Haddock	Melanogrammus aeglefinus
Anguilles / Eels	Anguilla rostrata
Alose / Shad	Alosa sapidissima
Bar d'Amérique / Bass, striped	Roccus saxatilis
Brosme / Cusk	Brosme
Capelan / Capelin	Mallotus villosus
Eperlans / Smelts	Hypomesus pretosius
Esturgeon / Sturgeon	Acipenser oxyrhynchus
Espadon / Swordfish	Xiphias gladius
Flétan / Halibut	Hippoglossus hippoglossus
Flets et soles / Founders and soles:	
Faux carrelet / Winter flounder	Pseudopleuronectes americanus
Limande à queue jaune / Yellowtail	Limanda ferruginea
Plie / Plaice	Hippoglossoides platessoides
Plie grise / Witch	Glyptocephalus cynoglossus
Gaspareau / Alewives	Alosa pseudoharengus
Goberge / Pollock	Pollachius virens
Hareng / Herring	Clupea harengus harengus
Maquereau / Mackerel	Scomber scombrus
Merlu / Hake	Urophycis spp.
Merlu argenté / Silver hake	Merlucius Bilinearis
Morue / Cod	Gadus morhua
Poisson-chat / Catfish	Arnarhichas lupus
Sébaste / Redfish	Sebastes marinus
Poulamon / Tomcod	Microgadus tomcod
Raie / Skate	Raja
Saumon / Salmon	Salmo salar
Thon / Tuna	Thunnus thynnus
Turbot	Reinhardtius hippoglossiodes

MOLLUSQUES ET CRUSTACÉS / SHELLFISH

Bigorneau / Winkle	Littorina
Calmar / Squid	Illex et loligo
Coques / Clams:	
Mactre / Bar	Spisula solidissima
Palourde / Quahaug	Venus mercenaria
Mye / Soft shell	Mya arenaria
Crabes / Crabs	Osmerus mordax — Genera varia
Homards / Lobsters	Homarus americanus
Huîtres / Oysters	Crassostrea virginica
Moules / Mussels	Mytilus edulis
Pétoncles / Scallops	Placopecten magellanicus

HERBES MARINES / SEAWEEDS:

Mousse d'Irlande / Irish moss	Chrondus crispus
Rhodyménie / Dulse	Rhodymenia palmata
Varech / Kelp	Laminaria et Macrocystis

PACIFIQUE / PACIFIC:

Éperlans / Smelts	Hypomesus pretiosus
Flétan / Halibut	Hippoglossus stenolepis
Hareng / Herring	Clupea horengus pallasii
Morue charbonnière — Sablefish	Anoplopoma fimbria
Morue grise / Cod, gray	Gadus macrocephalus
Morue-lingue / Lingcod	Ophiodon elongatus
Eulachon	Thaleichtys pacificus
Requin / Shark:	
Aiguillat, chien de mer / Dogfish	Squalus acanthias
Saumon / Salmon:	
Coho	Oncorhynchus kisutch
Kéta / Chum	Oncorhynchus keta
Rose / Pink	Oncorhynchus gorbuscha
Rouge / Sockeye	Oncorhynchus nerka
Quinnat / Spring	Oncorhynchus tshawytocha
Sébaste / Rockfish	Sebastodes spp.
Soles:	
Barbue / Brill	Eopsetta jordani
De roche / Rock	Lepidopsetta bilineata
Dover	Microstomus pacificus
Jaune / Butter	Isopsetta isolepis
Limande-sole / Lemon	Parophrys vetulus
Royale / Rex	Glyptocephalus zachirus
Thon / Tuna	Genera varia
Truite arc-en-ciel / Steelhead	Salmo gairdnerti

MOLLUSQUES ET CRUSTACÉS / SHELLFISH

Coques / Clams:

Amande de mer / Little neck	Tapes and protothasa
Coque jaune / Butter	Saxidomus giganteus
Couteau / Razor	Siliqua — patula

Crabes / Crabs	Genera varia osmerus mordax
Crevettes et crevettes roses / Shrimps and prawns	Genera varia
Huîtres / Oysters	Crassostrea et Ostrea
Poulpe / Octopus	Polypus honkongensis
Ormeau / Abalone	Haliotis kanchatkana

POISSONS D'EAU DOUCE / FRESHWATER FISH:

Achigan blanc / Bass, white	Roccus chrysops
Anguilles / Eels	Anguilla rostrata
Barbue / Catfish	Ictalurus
Brochet / Pike	Esox lucius
Brochet maillé / Pickerel, chain	Esox niger
Carpe / Carp	Cyprinus carpio
Crapet / Crappie	Lepomis
Corégone / Whitefish	Coregonus clupeaformis
Doré bleu / Pickerel, blue	Stizostedion vitreum glaucum
Doré jaune / Pickerel, yellow	Stizostedion vitreum vitreum
Doré noir / Sauger	Stizostedion canadense
Éperlans / Smelts	Osmerus mordax
Esturgeon / Sturgeon	Acipenser
Gaspareau / Alewives	Alosa pseudoharengus
Hareng du lac / Herring, lake	Coregonus exc. clupeaformis
Inconnu	Stenodus leucichthys
Laquaiche aux yeux d'or / Goldeve	Hiodon alosoides
Lotte / Burbot	Lota lota
Malachigan / Drum	Aplodinotus grunniens
Meuniers / Suckers	Catostomus
Moxotomes / Mullets	Mosoxtoma
Perche / Perch	Perca flavescens
Perche blanche / Perch, white	Roccus americanus
Truite du lac / Trout, lake	Salvelinus namaycush
Vairons / Minnows	Cyprinidae exc. carp

ᙥINDEX DES RECETTESᙥ

HORS-D'OEUVRE ET AMUSE-GUEULE

Bouchées au crabe 116
Boules aux huîtres 121
Boulettes de crevettes au fromage 126
Bûches au thon 130
Canapés au crabe et à l'aneth 119
Caviar de corégone 131
Champignons farcis aux huîtres 123
Chausson aux myes 115
Coquetel de fruits de mer 125
Huîtres Rockefeller 122
Huîtres sur écaille 121
Myes marinées 123
Oeufs farcis à l'anchois 114
Petits morceaux de turbot 130
Pétoncles frits avec guacamole 120
Poires farcies aux crevettes 129
Tartinade d'éperlans 129
Trempette au guacamole 120
Trempette aux crevettes 126
Trempette aux myes 115
Trempette épicée au saumon 124

SOUPES ET BOUILLABAISSES

Bisque de crevettes 145
Bouillabaisse 132-133
Chaudrée d'aiguillat au céleri 134
Chaudrée de maquereau ou de thon 136
Chaudrée de myes Manhattan 141
Chaudrée de myes de la Nouvelle-Angleterre 142
Chaudrée piquante de morue salée 143
Chaudrées de saumon vite faites 144

Fumet de poisson 136
Soupe de poisson nourrissante 135
Soupe aux huîtres 142
Soupe de filets à l'espagnole 146
Soupe de poisson au fromage 133

SALADES

Aspic de crevettes 158
Avocats farcis aux moules 148
Céviche de pétoncles 156
Étoiles de maquereau 154
Mousse de flétan 152
Salade de courgettes et de calmar 164
Salade de crabe hawaïenne 153
Salade de filets amandine 147
Salade de flétan 152
Salade de harengs scandinaves 157
Salade de légumes et de poisson 151
Salade de raie arc-en-ciel 163
Salade de saumon fumé 164
Salade de saumon Waldorf 156
Salade de scorpène de luxe 155
Salade de thon et de pommes de terre 165

ENTRÉES LÉGÈRES

Aiguillat en casserole 170
Anguille en casserole 173
Coquilles de fruits de mer 190
Corégone savoureux au four 197
Corégone savoureux au four 197-198
Crème de filets de poisson au four 168
Croquettes de scorpène 180
Éperlans au parmesan 195
Filets de corégone 197
Filets faciles — sauce crémeuse au concombre 177
Gratin de crevettes rapide 188
Homard thermidor 179
Morue salée à l'espagnole 187
Omelette au saumon et au fromage à la crème 189
Pain de saumon au fromage 186

Pizza au saumon 186

Poisson aux tomates en casserole 177

Poivrons farcis aux fruits de mer 196

Quiche aux fruits de mer 191

Ragoût d'ormeaux 167

Raie à la portugaise 192

Rarebit de filets de poisson et de champignons 176

Rogue aux herbes au four 185

Rogue en pleine friture 180

Rogue sautée 185

Soufflé de poisson aux carottes 174

Soufflé de filets léger 175

Soufflé de myes 169

Truite pochée au vin 198

Truite arc-en-ciel dorée à la poêle 178

Entrées pouvant servir de plat principal

Barquettes de homard 224

Brochettes de fruits de mer 236

Calmar frit à la chinoise 240

Crêpes de homard suprême 222-223

Crevettes au cari 209

Darnes de saumon à l'orientale 235

Espadon Stroganoff 242

Fettuccine aux myes 207

Filets aux agrumes 202

Filets aux herbes 219

Filets d'aiguillat — à la poêle ou en pleine friture 210-211

Filets de sébaste aux agrumes 230

Filets de sole bonne femme 212

Filets polynésiens 233

Filets roulés farcis 241

Filets suprême 213

Flétan à la créole 244-245

Homard 220-224

Maquereau grillé à la moutarde 229

Maquereau rôti et sauce au vin 234-235

Morue au cari 208

Mousse d'aiglefin et de concombre (chaude) 218

Omble chevalier en gelée 200-201

Paëlla valencienne 232

Pâté de poisson 214

Poisson poché au lait 217

Raie au beurre noir 239
Repas complet de saumon 199
Saumon entier 245
Saumon du Pacifique Wellington 230-231
Thon 243-244
Vivaneau en crème au fromage 234

GARNITURES

Clamburgers 247
Garniture au saumon pour cuisson à la braise 251
Garniture aux crevettes Bombay 246
Garniture aux crevettes et à l'avocat 253
Garniture chaude aux crevettes 248
Garniture de luxe au saumon 252
Garniture de poisson aux anchois 247
Garniture de poisson aux olives 248
Pain doré au saumon 250
Sandwich au thon 253
Sandwich de poisson à la poêle 249
Sandwich de fruits de mer en portions 252

MARINADES

Marinade au citron 254
Marinade aux herbes et au vin 254

COURTS-BOUILLONS

Court-bouillon au vin 257
Court-bouillon au vinaigre 258

PANURES ET PÂTES À FRIRE

Panures 259-260
Pâtes à frire 260-262
Pâte à frire au citron 262
Pâte à frire aux herbes 261
Pâte à frire croustillante 261
Pâte à frire de base, souple 260
Pâte à frire du campeur 261
Pâte à frire du gardien 262

FARCES

Farce au citron et à la crème sure 265
Farce au riz et au citron 264
Farce aux canneberges et à l'orange 263
Farce aux champignons 265
Farce aux crevettes 266
Farce aux épinards et aux oeufs 267
Farce aux herbes et à la mie de pain 264
Farce aux huîtres 266
Farce aux légumes 267
Farce au riz et au citron 264

SAUCES

Béchamel aux champignons et au sherry 274
Sauce béchamel moyenne de base 268-269
     Variantes 269
Sauce chinoise 270
Sauce à coquetel de fruits de mer — 1 et 2 273
Sauce à l'abricot et au gingembre 268
Sauce au citron 272
Sauce chutney 270
Sauce hawaïenne au cari 270-271
Sauce hollandaise 271
Sauce simili hollandaise 272
Sauce Richelieu 273
Sauce tartare 274

VINAIGRETTES

Garniture à la française 276
Mayonnaise faible en calories 277-278
Sauce à la ciboulette 275
Sauce cottage 277
Sauce chutney 275
Vinaigrette à la française 276
Vinaigrette à l'orange et à la cannelle 278
Vinaigrette aux tomates, faible en calories 278
Vinaigrette Louis 277